인생을 포기하지 않는
울산대 학생

KB103793

인생을 포기하지 않는 울산대 학생

지은이  이동훈

발 행  2023년 12월 06일
펴낸이  한건희
펴낸곳  주식회사 부크크
출판사등록  2014.07.15.(제2014-16호)
주 소  서울특별시 금천구 가산디지털1로 119 SK트윈타워 A동 305호
전 화  1670-8316
이메일  info@bookk.co.kr

ISBN  979-11-410-5763-3

www.bookk.co.kr

# 인생을 포기하지 않는 울산대 학생

이동훈 지음

BOOKK

본 책은

울산대학교 글쓰기 클럽 지도교수
김경화, 김용성, 김종규, 마소연, 박민규, 박진아, 송유빈, 정용호 교수님이 퇴고에 있어 많은
도움을 주셨습니다.


제게 글쓰기의 기쁨을 선물해 주셔서,
넓은 시야를 갖게 해주셔서 감사드립니다.

❝사람들은 공감되지 않는 이야기에는 반응하지 않는다. 하지만 어디에나 있는 사람들의 이야기면 공감하고 결국 나를 돌아보게 된다.

　이 책은 읽는 사람의 추억을 회상하게 하고 웃게 만드는 이입감을 가지고 있으며 드라마 속 주인공이 아닌 진짜 사람이 살아있는 이야기이다.

　고등학교 때 몽유병 환자, 돌 아이라고 불리던 한 학생의 살아있는 드라마가 탄생할 거 같다.❞

　　　　　　　　　　　　　－ 수학 교사, 이유빈

❝ 헌터X헌터의 주인공 〈곤〉이 생각나는 친구.

바보 같지만, 미친 에너지와 낙관적인 성격으로 뭔가 해낼 것 같다.

책 쓴 이후, 앞으로의 행보가 누구보다 기대되는 사람 이다. ❞

– 저자 절친, 주건휘

❝ 강철이 왜 강철인지 아는가?

강철은 철광석이 쉴 새 없이 부딪히고 구르는 과정을 거쳐 만들어진다. 그 과정에서 투박한 원석은 깨지고 깎여나가지만, 결코 그 본질을 잃지 않은 채 강인한 모습으로 태어난다.

우리는 모두 철광석이다. 투박하고 흔하지만, 없어서는 안 될 존재들이다.

이 책 「인생을 포기하지 않는 울산대 학생」은 그중 한 철광석이 몸소 구르며 강철이 되어가는 이야기를 담고 있다. ❞

– 울산대학교 법학과 22학번 이태윤

“이 책을 쓴 작가는 누구보다 뜨겁게 살아가는 사람이다. 책 속에는 취업에만 몰두했던 그의 시선이, 다른 가치로 흘러가는 특별한 경험이 생생하게 담겨있다.

또한, 그가 어떻게 항상 최선을 다해 살아갈 수 있는지에 대해서도 담겨있다.

나는 이 책을 읽은 후, 나에게 남은 인생을 어떻게 채워나갈 것인지에 대해 다시금 고민을 해보게 되었다.

여러분 또한 이 책을 읽고 그가 제시하는 가치를 느껴보길 바란다.”

- 울산대학교 전기전자공학전공 23학번 이준석

❝이 책은 울산대학교에 재학 중인 선배가 직접 겪은 성공과 실패, 도전과 성장의 과정에서 얻은 소중한 교훈을 솔직하게 전하는 책입니다. 도전과 꿈을 키우는 청춘들에게 용기를 주며, 더 나은 미래를 향해 나아갈 수 있는 힘을 안겨줄 것입니다.

쉽게 읽히는 문체로, 독서가 익숙하지 않은 분들에게도 부담 없이 접근할 수 있는 내용을 담고 있습니다.

이 책을 통해 우리는 새로운 도전에 대한 용기와 열정을 발견할 수 있을 것으로 기대됩니다.❞

– 울산대학교 스페인·중남미학과 23학번 박유진

❝이 책을 읽은 후 인생의 모든 것은 내가 어떤 생각을 품는가에 따라 달라진다는 것을 느꼈다.

그리고 현대사회에서 효율성을 추구해 센스있고 요령 있는 방법을 택하는 것도 중요하지만, 때로는 우직한 바보처럼 100%가 아니더라도 70%만 준비되어도 나 자신을 믿고 전진해 나갈 수 있는 사람이 되어야 하는 것을 깨달았다.

열정의 바이블을 읽어보고 싶다면 추천하는 책이다.❞

— 대현고등학교 2학년 최영현

❝ '누구에게나 기억에 남아있을 평범한 사람. 그 평범한 사람이 빛이 되기까지. 또한 당신도 그 빛이 될 수 있을 때까지.'

이 책은 누구나 보았을 법한 평범한 사람이 사회에서 어떻게 빛이 되어가는지 보여준다.

학창 시절에 한 반에 30명쯤 되어 한 학년에 300명 가까이 되는 '작은 사회'에서 벗어나, 대한민국 5천만, 전 세계 80억 되는 인구수 중 가장 아름답고 빛나는 사람이 되기 위해 노력하는 한 인간.

한 생물로서의 가장 아름다운 무대를 보여준다. ❞

- 신정고등학교 3학년 홍재표

울산대학교 한 학생이 257일간 굳건하게 써 내려간 글,
지금부터 개봉 :)

차
례

## CHAPTER 3 ✔ 조금씩 바뀌는 두 번째 대학 생활

## CHAPTER 4 ✔ 처음으로 '꿈'이란 걸 가지다

## CHAPTER 5 ✔ 후배에게 해주고 싶은 말

# ●*PROLOGUE*●

안녕하세요. 울산대학교에 재학 중인 이동훈 학생입니다. 18학번이라 나이는 조금 있을지 모르겠네요. 다만 이 글을 읽고 있는 당신에 비해 어수룩한 부분은 많을 듯합니다. 그런 제가 용기를 냈습니다. 청춘을 먼저 보내며 느꼈던 여러 깨달음을 이 책을 통해 후배에게 전하고자 합니다.

여기서 '후배'란 우리 울산대 학생뿐 아니라 빛나는 청소년들까지 모두 포함입니다. 물론 다른 대학교 학우분도 두 팔 벌려 환영합니다. 앞으로 책에 종종 '후배'라는 단어가 나올 텐데 '후배'는 이 책의 주인공인 '당신'이라는 점을 알아주시면 감사하겠습니다.

그런데 전국의 대학생, 울산대 학생 그리고 청소년만이 이 책의 독자일까요? 아닙니다. 한 명 더 있습니다. 바로, '과거의 저'입니다. 과거의 저 또한 이 책의 독자입니다. 그래서 답답했던 마음에 조금 세게 말하는 부분도 있을 것입니다. 감정이 잘 전달되기 위해 문체는 반말로 정했습니다. 이 점도 너그럽게 봐주시면 감사하겠습니다.

저는 확신이 있습니다. 이 책을 다 읽고 나면 당신은 전보다 '악바리' 근성이 생길 겁니다. 눈빛이 달라질 겁니다. 마음속에 모닥불이 피어날 겁니다. 감히 확신합니다. 왜냐하면, 당신 근처에 있는 한 학생이 악바리만 가진 채 젊음을 불태우고 있는 이야기를 들려주기 때문입니다. 소스를 더하거나 과장한 내용은 없습니다. 그러니 저를 믿어주셨으면 합니다.


　애기가 길었죠? 마무리하겠습니다.
　전국의 빛나는 청소년과 대학생 그리고 자랑스러운 울산대학교 후배들에게 진심을 다해 이 책을 바칩니다. 감사합니다.

# CHAPTER 1

## 고등학교,
## 내 인생이 시작되다

♣

## *너는 성적이 낮아서 안 돼*

고등학교 2학년 학기 초. 나이가 지긋하신 담임 선생님이 앞에서 말씀하셨다. "다음 주에 반장 선거합니다. 관심 있는 사람은 생각해 놓으세요" 학교에서 나름 인기가 많던 한 소년은 반장 선거를 나갈까 하는 행복한 고민을 하려던 찰나, 끝나지 않았던 선생님의 말씀.

"단, 성적이 전교에서 50% 안에 드는 사람만 지원할 수 있습니다"

그날 소년은 자기 성적이 전교에서 어느 정도인지 확인해보니 이런, 저 아래 하위권에 다투는 성적이다. 그래도 성적 때문에 반장 선거를 못 나간다는 게 억울했는지 선생님께 따로 찾아간다. 하지만 선생님의 입장은 단호했다. "성적이 낮아서 안 돼"
선생님과 딱히 친하진 않았던 소년은 그 후 선생님께 찾아가지 못하고 속으로만 전전긍긍한다. 그러다 반장 선거 전날 저녁, 지푸라기도 잡는 심정으로 선생님께 문자 한 통을 길게 보낸다. 공부 열심히 하겠다고. 믿어달라고. 반장이 되겠다는 것이 아니라 나갈 기회만 달라고. 소년은 기다리고, 기다리고, 또 기다렸다. 그러나 답장은 끝내 오지 않았다.


　다음 날, 진행된 반장 선거. 칠판에 적힌 후보자 이름엔 역시나 소년의 이름은 보이지 않았다. 자신을 빼놓고 진행되는 반장 선거를 보며, 소년은 눈이 커진 채 처음으로 삶의 변화에 대해 갈망했다. 소년의 이름은 이동훈. 바로, 나였다.

♣

## *수학 귀신을 만나다*

반장 선거에 출마하지 못한 것을 계기로 그 후 열심히 공부한다. 1년 뒤, 나는 반에서 5등(우리 반이 학년 전체에서 꼴찌였는데 거기서 5등) 위치까지 올라선다. 나름 비법이라 하면 이해력이 좋은 편이 아니라서 시험 범위를 반복해서 봤다는 거? 자주 보기만 하면 잘 외워지기에 성적이 오를 수밖에 없었다. 그때 내게 생긴 별명이 '암기충'이었다. 이 암기충에게도 끈질긴 천적한 놈이 있었는데, 그건 바로 수학이란 놈.

사실 고등학교 2년 반 동안 난 그 유명한 '수포자'에 가까웠다. 학년이 오를수록 어려워지는 수학을 못 따라갔다. 모의고사 수학은 늘 6, 7등급.

그러던, 고 3 어느 하루였다. 주위 친구들은 슬슬 대학교 수시 원서를 고민하고 있던 시즌인데 난 천하태평 했던 것 같다. 아무런 생각이 없었다. 그러다가 이러면 안 되겠다 싶어 뒤늦게 목표를 정했다. 울산대학교에 입학하겠다고! 무슨 바람이 불었는지, 내겐 울산대학교가 꿈의 학교가 되었다.

이때가 바로 수능 100일 전이었다. 울산대 최저등급(2개 과목 합 8등급 이내)을 부랴부랴 맞추기 위해 '지구과학'과 '수학'만 파기로 정했다. 선택과 집중의 전략! 수학을 선택한 이유는 단순했다. 친구들이 수학은 공식 외우고 문제만 많이 풀면 된다고 해서.

이때쯤 새로운 친구 한 명('박사'라고 칭하겠다)을 알게 되었다. 수능 100일 전, 학교 정독실에서 만난 박사는 지구과학과 수학만 공부한다는 공통점이 있던지라 매일같이 붙어 다녔다. 수험기간 동안, 모르는 문제를 물어보면 자신에게도 도움이 된다는 이유로 박사는 참 친절하고 자세히 알려주었다. 듀엣 파트너, 박사로부터 도움을 많이 받았고 심적으로 의지하곤 했다.


그렇게 삼 주 정도 흘렀을까? 모의고사를 치렀다. 지구과학 점수는 조금 올랐고 수학은 딱히 오르진 않았다. 울산대 못 갈 성적에 점수를 더 올려야만 했는데… 그러기 위해, 필요한 것은 바로 인풋 앤 아웃풋(input and output). 출력값이 있으려면 입력값이 있어야 하는 법. 즉, 원하는 점수를 받으려면 그에 따른 노력이 필요했다. 독기를 세워 공부에 뛰어든다.


그 후, 난 내 주위의 모든 것을 뿌리쳤다. 당시 체육부장이었던 내가 하라는 체육은 안 하고 운동장 조회대에 앉아 공부하기 바빴고, 평소에는 복도에 책상과 의자를 빼서 공부했다. 또, 당시 토요일은 오전 9시부터 오후 5시 50분까지가 자습 시간이었는데, 이때 딱 15분만 쉬고 공부에만 전념한 적도 있었다. 끼니도 거른 것이다. 간절을 담았던 기억이 난다. 친구들과 선생님 사이에서 점차 3학년 아래층 반(10반~14반)에서 제일 열심히 공부하는 학생으로 내 이름이 나오기 시작했다. 이런 열정이 빛을 발해서일까? 지구과학 성적은 계속해서 올랐고 수학도 전보다 풀 수 있는 문제가 많아졌다.

그사이 빠르게 다가온 마지막 모의고사. 지구과학은 3등급 최상상위권, 수학은 4등급 중하위권에 달하는 점수가 나왔다!

'됐다. 수능에서도 이 성적 받아보는 거야' 합격권에 드는 성적에 기분이 들뜨긴 했지만, 방심하지 않고 끝까지 했다. 그러다 수험 생활의 마침표를 찍을 수능, 그날이 밝았다.


1교시, '국어' 시험. 시험지를 받자마자 침 흘리며 자버렸다. 내가 버린 카드였고 풀 수 있는 문제가 없었으니까.

2교시, '수학' 시험. 눈빛을 고쳤다. 샤프를 손에 꽉 쥔 채 문제를 풀기 시작했다. 그런데 와! 내가 봐도 문제를 완벽하게 풀고 있던 게 아닌가. 샤프가 가만히 있지 않고 내 손에 붙어 춤을 추고 있었다. 어려운 문제 번호를 제외하고 풀 수 있는 문제는 전부 풀었다. 최종 확인까지 하고 시계를 보니 남은 시간은 15분.

여태껏 풀어본 적 없는 28번 문제를 한 번 쓱 쳐다봤다. 역시 어렵게 생긴 놈이었다. 그런데 뇌가 신호를 준다. '문제에 줄을 치고 읽어봐!' 그 순간 샤프가 붙은 내 오른손이 시험지로 향했다.


28번 문제를 풀려면 확률과 통계 뒷부분의 개념과 공식을 알아야 했는데 내겐 어렵게 느껴져 포기했던 파트였다. 즉, 공식도 모르는 상황. 그럼에도 불구하고 아는 공식을 총동원해 문제를 풀어댔고 잠시 후 '96'이라는 답이 나왔다. 무언가 깔

끔하게 푼듯한 느낌. 그렇게 OMR 카드에 답을 적으려는 순간 샤프가 나를 멈춰 세운다. 그와 동시에 종종 마지막에 '나누기 2'를 하지 않아 틀렸던 기억이 떠올랐다. 다시 문제를 보는데 왠지 '나누기 2'를 해야 할 것만 같았다. 이유는 모르겠다. 최종 답으로 '48'을 적는다.

　수학 시험이 끝이 나고 복도로 뛰쳐나가 친구들과 답들을 비교해 봤는데… 세상에! 그 문제 답이 '48'이 맞단다. 틀린 학생 대부분은 '96'을 답으로 적었다고 그랬다. 내가 28번 문제를 푼걸 넘어 심지어 맞췄더니 그때 지었던 친구들의 '와~'하는 표정들이 6년 지난 지금도 생생하다. 수학에 탄력을 받았는지 지구과학도 공부한 만큼 잘 봤던 것 같다.

　그래서 과연 몇 등급을 받았을까? 지구과학은 3등급 최상위권. 수학이란 '님'은 3등급 최상위권인 84점을 받았다(박사는 역시 수학 1등급을 받았다). 이제껏 가장 잘 본 수학 점수는 68점인데 84점을 시험에서, 그것도 대학수학능력시험에서 처음 받은 것이다.

　2교시 시험을 치는 도중, 수학 귀신이 내 샤프에 잠깐 들렸다고 생각한다. '그런데 하필이면 왜 내게 왔나?' 아직도 의문이긴 하지만, 혹시 내가 '열심히 그리고 끝까지'라는 과정을 잘 완주해 수능이라는 결승점을 통과했기 때문이 아닐까?

　만약 당신이 수험생이거나 혹은 중요한 시험을 앞두고 있다면 이 이야기를 믿고 끝까지 했으면 한다. 묵묵히 나아간다면 당신의 한계를 뛰어넘을 거다. 분명 그럴 것이다. 그러니 끝까지 열심히 해보자. 그때 그 귀신이 이번엔 당신을 향하고 있다.

♣

## *사랑받으며 자란다는 건*

나는 집에서 사랑받지 못한 사람이었다. 어렸을 때부터 엄마의 욕설, 그리고 잦은 폭력에 시달렸다. 그런 일상에 지쳐 초등학교 땐 심지어 자해까지 한 적 있다. 사랑과 도피처가 절실했다. 다행히도 한 곳의 도피처가 보이는데.

학교! 친구들이 가기 싫다던 그 학교에만 가면 숨이 틔었다. 집과는 다르게 학교에서는 엄마 눈치를 볼 필요가 없었기 때문에. 나라는 고유한 가치를 인정해 주는 선생님과 친구들이 곁에 든든하게 있어 줬기 때문에. 그래서 학교에만 가면 나의 진가가 마음껏 나타났다. 남다른 끼를 가지고 있던 나는 초등학교 때부터 고등학교까지 줄곧 반의 '분위기 메이커' 역할을 담당했다. 수업 시간에 노래 부르고, 반을 뛰어다니며 빙글빙글 춤도 추고. 또한, 재치 있는 입담으로 선생님과 친구들, 모두를 즐겁게 했다.


지금부터 고등학교 시절 이야기를 짧게 해볼까 한다. 마지막 고등학교 이야기다. 수업 시간, 선생님들이 피곤하다 하면 다가

27

가 목 마사지도 해드리고 쉬는 시간에 노트북을 들고 다니는 선생님이 보이면 쏜살같이 달려가 "자~~ 가시죠!"라고 외치며 대신 들어주는 게 나의 일상이었다. 선생님들이 좋아하시는 모습을 보면 마치 내가 슈퍼맨이라도 된 듯한 기분.

지금에야 말하지만 사실 1학년 때는 야자(정규 수업 후 실시되는 야간 자습) 시간에 친구들과 몰래 장난도 치고 PC방으로 도망도 가는 등 문제를 벌여 선생님들과 사이가 좋지 않았던 적도 더러 있었다. 하지만 '반장 선거 출마 실패'라는 사건으로 정신 차려 열심히 공부하기 시작했더니.

시간이 흐를수록 한 분, 두 분 그리고 더 많은 선생님이 나를 좋아해 주시기 시작했다. 유난히 한 수학 선생님은 나를 아들처럼 예뻐해 이것저것 챙겨주시기까지 했다(이때 받은 수달 인형은 지금도 내 방에 있고 소중한 보물 1호다). 그 선생님 성함이 '이유빈'이었다.

*이유빈 선생님이 주신 선물들*

신이 나서 나중에는 공부와 수업 분위기, 이 두 마리 토끼를 다 잡고 싶었다. 가끔은 에너지가 부족해 힘이 빠질 때도 있었지만, 그래도 궁극적으로 행복했다. 친구들과 선생님의 품속에서 지낸다는 것 그 자체가 큰 행복이었고 어찌나 감사한 일인지.

그렇게 행복한 학창 시절 속 어느덧 수능이 100일 앞으로 다가왔다. 두말 말고 공부했다. 복도에 책상과 의자를 끄집어 앉아 공부하고 있으면 책상 위에 맛있는 간식을 두고 가시는 선생님들. 또, 내 조그마한 수능 달력에 틈틈이 편지를 써주시는 이유빈 선생님.

'이런 응원을 받으면 그 누구도 열심히 공부할 수 있지 않을까?'라는 생각이 들 정도로 선생님들은 큰 힘이 되어주셨다. 결국, 나는 내가 원하던 대학에 최종 합격을 한다.

수업 분위기를 좋게 만들면서 공부도 열심히 해 원하는 대학에 합격한 내가 기특했는지, 선생님들이 한 가지 선물을 주시는데.

그 선물은 바로 '성실상'이다. 원래 이 상은 우수한 성적으로 명문대(SKY 급)에 합격한 학생이 졸업식 날 단상 위에서 받는 건데 이례적으로 내가 받게 된 것이다. 3학년 선생님들의 회의 결과로 정해졌다고 한다. 어안이 벙벙했다. 보답하고 싶었다. 그래서 깜짝 이벤트 하나를 준비한다. 선생님들께 감사를 표하는 그런 이벤트!

졸업식 날, 예정대로 졸업생 471명을 대표해 단상 위에 올랐다. 사회자 선생님이 다음과 같이 말씀하셨다. "3학년 14반 성명, 이동훈. 위 학생은 품행이 단정하고 성실하여 타의 모범이 되므로 이 상을 수여함. 2018년 2월 13일 신정고등학교장 000" 이 말이 끝나고 교장 선생님이 상을 주시려는 그 순간! 교장 선생님께 말씀드렸다.

"교장 선생님, 잠시만요" 그 후, 뒤로 돌아 오른쪽 아래에 계신 선생님들 쪽으로 몸을 틀었다. 갑작스러운 행동에 모두의 시선이 모였다. 숨을 '흡' 크게 들이쉬고는 선생님들께 큰절을 올리며 외쳤다.

**"3학년 선생님들! 사랑하고 감사합니다"**

*(앞) 미소 짓는 3학년 선생님들      (뒤) 기립 박수 치는 졸업생들*

뒤에선 기립 박수가 쏟아졌다. 그 후에 교장 선생님께 상을 받는다. 졸업식이 끝나고는 3학년 실에 총알같이 달려가 3학년 1반부터 14반, 모든 선생님께 전날에 쓴 손 편지를 드리며 다시 한번 감사를 표했다. 이것을 끝으로 마음속에 눈물 한 방울을 톡 떨어트린 채 아름다운 학창 시절의 마침표를 찍었다. 현재의 내 모습이 만들어지기에 가장 큰 공헌을 해준 이들이 바로 고등학교 3학년 선생님들이다. 짧다면 짧은 1년의 기간을 함께 했지만, 10년이 지나도 그때 그 기억 난 잊지 못할 거다.

물론 열심히 공부한 결과로 전교에 손가락 안에 드는 성적까지 받았으면 이 얼마나 완벽한 스토리인가? 하지만 완벽한 스토리보다 아름다운 스토리로 기록된 것에 큰 행복을 느낀다. 사랑받은 사람은 사랑을 줄 줄 알고 사랑을 줄 줄 아는 사람은 사랑받은 적이 있는 거 아니겠는가. 난 사랑받은 사람이 되었다. 시간이 흐르고 현재의 내가 타인에게 사랑을 줄 수 있게끔 해준 정말 큰 자양분이 되었다.

조금만 주의를 기울여보면 순탄하지 못한 가정환경 때문에 힘들어하는 사람을 볼 수 있을 것이다. 집에서 듬뿍 사랑받으며 성장한 사람이 있는 반면, 그렇지 않은 사람도 존재하기 때문에 이것은 어쩌면 당연할지도 모른다.

그런데 꼭 집이 아니더라도 현재 주어진 환경 속에서 열심히 살아본다면, 그곳이 어디든 그런 당신을 좋아하며 쓰담쓰담 해주는 사람들을 만날 수 있을 것이다. 그리고 그들에게 응원받으며 성장했다는 기억은 앞으로의 인생에 있어 큰 변화가 될 거다. 그 변화가 인생 최대의 터닝포인트이든, 타인에게 사랑을 주는 것이든, 아니면 다른 무엇이든.

# CHAPTER 2

이렇게 평생 보낼 줄
알았던 첫 번째
대학 생활

# 대학교에 남겨진
# 한 명의 미아

얘기에 앞서, 이번 이야기의 흐름을 돕기 위해 한 부분을 짧게 담았다. 다음과 같다. 아이러니하게도 고등학생 때, 난 물리를 아주 잠깐 맛만 본 이과생이었다. 당시 우리 학교는 1학년 끝날 무렵에 선택 과목을 정했는데 이때 지구과학과 생명과학을 내가 선택했기에 그 후로 물리를 만날 일이 없었다. 그래서 물리에 대한 기초지식은 완전 제로에 가까웠고 수학도 크게 다를 바 없었다. 수능 최저를 맞추기 위해 문과 수학(수학 나형)을 100일간 공부했지, 이과 수학은 내신 7등급에 불과한 수준. 그런 나에게 공대생의 기본인 '물리'와 '이과 수학'은 캄캄한 밤이었다. 이제 본격적으로 이야기를 시작한다.


3월 2일, 울산대학교 산업경영공학부 학생으로서의 첫날. 호기심 가득한 눈빛으로 일반물리학 수업을 듣는다. 그러나 내가 이해할 수 있었던 건 몇 분간 진행된 수업 오리엔테이션까지였다. 잠시 뒤, 교수님 입 밖으로는 처음 들어보는 용어들이 줄 줄 튀어나왔다. 정확히 10분 후, 터진 멘탈. 머리에는 비상이 걸렸다. 남아서 질문을 할까 싶었지만, 할 수가 없었다. 뭘 좀 알아야 질문하든가 하지. 끝나고 집 대신 학교 도서관으로 향했다. 혼자서 물리책을 펴 줄 그어가며 공부하는데…. 안타깝게 하나도 이해되질 않았다. 고등학생의 이동훈처럼 고개 들어 주위를 둘러보았지만, 말을 걸 수 있는 사람이 보이지 않았다. 고등학교 때는 모르는 것이 생길 때마다 실컷 물어봤는데…. 고등학교와 대학교는 전혀 다른 세계였다. 다른 차원의 세상에 온 것이었다. 당황해 황급히 도서관을 빠져나갔다. 밝은 노을이 이미 진 캄캄한 밤. 공부하는 동안 꺼놓았던 핸드폰을 켜 고등학교 친구들에게 전화를 걸어봤다. 몇 명은 받지 않고 받은 몇 명은 술집에서 재밌게 놀고 있었다. 아니, 아니, 내 얘기를 들어줄 사람은? 없었다. 마치, 대학교에 남겨진 한 명의 미아…. 이것이 대학교 1학년 학생의 설익은 개강 날이었다.

다음날에도 그다음 날에도 가방을 싸서 학교 도서관에 갔다. 포기하기 싫어 발버둥 쳤다. 하지만 날짜가 바뀔수록 대학교가 아닌 고등학교로 마음이 향할 따름이었고 든든한 지원군이셨던 학교 선생님들, 늘 옆에 있어 준 친구들이 있는 그때로 돌아가고 싶었다. 그러나 시간이 거꾸로는 흐르지 않지 않은가. 그것이 나를 더 슬프게 했다. 그리웠다. 고등학교 시절의 꿈을 일곱 번 연속으로 꿀 정도로 그리웠다. 정말로.

벚꽃이 활짝 만개한 4월의 어느 날, 학교 가는 버스에 앉아 고개를 돌리자 창가에 비친 내 모습이 보였다. 눈물이 주르륵

이렇게 평생 보낼 줄 알았던 첫 번째 대학 생활

흘렀다. 고등학교가 아닌 대학교에 가는 모습이 서글퍼서. 창밖에 휘날리는 예쁜 벚꽃까지 보니 맨 앞자리에서 눈물이 왈칵 쏟아졌다. '이대로 계속 살아야 하나? 그렇다고 이겨낼 힘이 있는 것도 아닌데'

그러고 날짜가 꽤 흘렀다. 괜찮아지길 바랐지만… 갈수록 격렬하게 요동치고 있었던 감정이다. 고등학교를 그리워하는 감정과 대학 생활의 부적응, 이 두 가지가 합쳐져 결국 '자퇴'라는 선택을 해버린다(1학년 1학기는 중도에 휴학이 되지 않는다). 자퇴한 뒤 정신이 온전해지면 내년에 전문대인 울산과학대학교에 진학하고자 했다. 4년제 대학보다 전문대가 취업이 잘된다는 엄마의 의견도 있었고.


아무쪼록 바로 자퇴했을까? 평범한 나였다면 했을 거다. 하지만 졸업식 날 대표로 상을 받은 학생이 바로 나 아닌가. 그런 내가 이대로 무너진다면 소식을 들은 선생님들이 얼마나 놀라겠는가. 얼마나 충격이겠는가. 그래도 자퇴가 유일한 탈출구라고 믿었던 내게 하나의 생각이 머릿속을 스치는데….

'그래, 자퇴하자. 그런데 어차피 자퇴할 거, 남은 기간 후회 없이 공부해서 고등학교 쌤들한테 열심히 대학교 다녔다고 말하자'

지금으로부터 종강까지는 불과 3주가 남은 시점. 다음 날부터 마음가짐을 달리 한 후 자리에 앉는다. 좋은 결과? 어쩌면 불가능하다고 생각했다. 단지 열심히만 해보고 싶었다. 그래야 열심히 학교 다녔다고 떳떳하게 말할 수 있지. 수학과 물리에 관한 과목은 총 4개! 개념을 하나도 이해하지 않은 채 문제를 외운다. 정답은 기본이고 풀이 과정을 무식할 정도로 달달 외운다(예를 들어, '용수철'이라는 단어가 적힌 문제는 풀이가 L/2로 시작된다고 암기). 그러곤 동기부여를 하기 위해 늘 한가지 주문을 거는데.

*'지금 포기하기엔 나에게 기대를 건 사람이 너무 많다'*
*- 20181825 이동훈 -*

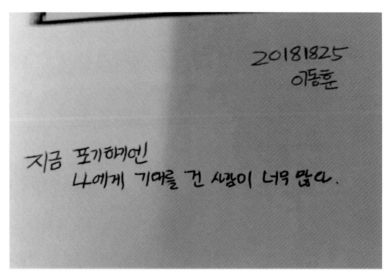

지금도 내 카톡 프로필에 있는 사진이다.

선생님, 친구, 가족. 모두의 기대를 저버릴 수 없었다. 그렇게 3주간, 밤 11시까지 도서관에 홀로 남았다.
어느덧 울산대 학생으로서 마지막 1학기 기말고사 날, 시험을 보는데…. 책에 있는 예제 중 숫자만 바꿔나온 문제가 시험지에 대다수 있었다! 다른 과목도 마찬가지. 내가 외운 풀이 과

이렇게 평생 보낼 줄 알았던 첫 번째 대학 생활

정들을 모조리 적었고 그렇게 종강을 했다.

'그다음, 그다음은요?'라고 속삭이며 이 글을 읽는 후배가 많은 것 같다. 이때 학점?

4.08을 받았다! 기초 미적분학은 B0(제일 열심히 했는데 문제가 많이 변형되어 나왔다), 미적분학은 A0, 기초 일반물리학과 일반물리학은 둘 다 A+이었다. 과에선 3등을 했고 120만 원의 장학금을 받았다. 다들 공부하지 않는 1학년 1학기였기에 3주간의 마법이 잘 통했던 것 같다.

| 과목번호 | 과목명 | 학점 | 등급 |
|---|---|---|---|
| A00039 | 영어회화 I | 2 | A+ |
| A00135 | 과학과기술의역사 | 2 | A+ |
| E01310 | 일반물리학 I | 3 | A+ |
| E01316 | 미적분학 I | 3 | A0 |
| G00627 | 산업공학개론 | 3 | A+ |
| G03353 | 컴퓨터개론 | 2 | A+ |
| G03562 | 기초미적분학 | 1 | B0 |
| G03563 | 기초일반물리학 | 1 | A+ |
| G03593 | 공업제도 | 2 | C0 |

*대학교 1학년 1학기 성적 4.08*

고등학교 선생님들께 이 결과를 알리자, 선생님들은 훌륭하다며 모두 박수 쳐주시고…. 오랫동안 갈망했던 행복한 순간이었으리라.

높은 학점이 나오니 자퇴할 생각이 언제 그랬냐는 듯 사라졌다. 이후 자신감을 얻어 2학기 때에도 문제를 통 암기하는 나만의 공부법을 이어갔고 더 높은 학점을 받은 채 1학년을 마무리했다.

여기까지가 내 첫 대학 생활 이야기. 얼핏 보면 높은 성적을 받아 성공적으로 보낸 것만 같다. 그런데 왜 이렇게 아쉽지. 성적 나오는 그날만 행복했고 그전까지는 한숨만 퍽퍽 내뱉었던 하루들. 새드엔딩만 아니었지, 그전까지는 슬펐던 순간이 많았던 하루들.

만남이 있으면 이별도 있다는 걸 그 당시는 왜 몰랐을까? 고등학교와 이별하지 못해 행복할 여러 기회를 내가 스스로 놓친 듯하다. 다시 그때로 돌아간다면 되돌릴 수 없는 과거는 인정하고 현재에 집중하며 매 순간 웃을 텐데. 그래서 미소가 떠나지 않는 20살을 보낼 텐데. 낭만 넘칠 20살의 인생 그래프가 위가 아닌 아래쪽에 맴돈 점이 유독 아쉽게 느껴지는 오늘 밤이다.

## 꿈(?)을 정해버린다

버스를 타면 나는 누군가를 본다…. 핸드폰 게임을 하는, 열심히 영어 단어를 외우는, 멍하니 창문을 보며 깊은 생각에 잠겨 보이는 고등학생과 갓 성인이 된 대학생 친구들을 자주 본다. 사실 그들에게 관심 없어 안 보는 척하지만, 곁눈질로 틈틈이 본다. 보면서 마음속으로 드는 생각이 있거든.

'이 친구들은 자신이 무엇을 좋아하는지, 무엇을 잘하는지 알까?'

알면 좋고 모르면 당연하다고 생각한다. 저 나이 때, 난 내가 뭘 잘하는지 그리고 좋아하는지를 몰랐다. 아니, 저런 생각이 존재한다는 자체를 몰랐다.

학창시절, 학원 4곳(국어, 수학, 영어, 과학)을 동시에 다녔고 성인이 되어서는 컴퓨터 학원에 등록했다. 엄마의 영향이 컸다. 그저 시키는 대로 척척 살아야지. 열심히 공부해서 성공해야지. 그러다 보니 스무 살이 끝나 있었다. 학과에서는 3등이었기 때문에 첫 단추는 빛이 났다. 그에 맞춰 기가 막힌 꿈 하나를 정한다. 좋아하는 그리고 잘하는 것을 찾는 거와는 전혀 관련 없는 꿈.

바로, **높은 학점을 받고 전공 자격증과 어학 점수를 취득해 대기업에 취직해야겠다는 꿈**이다. 다들 한 번쯤 머릿속으로 생각해 봤으리라 생각한다. 당시 나에겐 그 꿈이 세상을 다 가질 법한 매우 큰 도전이나 다름없었다. 오로지 그 꿈만 이루면 마치 내 인생이 성공한 인생이 될 것만 같았다. 성공하자는 결심으로 믿고 달려 나갔다.

1학년 마치고 군에 입대했다. 군인이었던 나의 관심사는 무엇이었을까? 오로지 '취업' 하나뿐이었다. 왜? 그게 꿈이었으니까.

군대에서 위험물 기능사, 컴퓨터활용능력 1급 필기, 한국사 1급을 공부해 합격했다. 토익도 불이 나게 공부했다(바로 뒷장에 자세히 나온다). 매일 잠을 2시간 줄여가면서까지 밤에 공부했다. 다들 나보고 하는 말이 있었는데 바로 "너는 꼭 좋은 곳에 취업해라". 군대 휴가를 나와서도 공부했을 정도이니 말이다.

또한, 어떻게 하면 대기업에 취업할 수 있을까 군대에서 알아봤는데.

회사는 굵직한 대외활동을 한 신입사원을 선호한다는 걸 알 수가 있었다. 대외활동 한 사람들의 후기를 찾아본다. 찾아보니 그들은 나와는 다른 유전자를 가진 것만 같았고 무엇보다 도전적인 듯했다. 귀차니즘이 강한, 그리고 도전적인 태도와는 거리가 먼 내게는 그들이 대단하게만 보였다. 동시에 대외활동에 겁을 먹었다. 거부감이 들었달까? 액티비티한 활동 말고 조금은

이렇게 평생 보낼 줄 알았던 첫 번째 대학 생활

익숙해진 공부만 하고 싶을 뿐. 그래서 취업하기 위한 다른 방법을 알아냈다.


그것은 '편입*'이다. 머릿속 짱돌을 굴려본다.

'그래! 1, 2학년 때는 편입을 준비하느라…, 3, 4학년 때는 새로운 학교 공부에 적응하느라… 했다 하면 바빴던 사람처럼 보이잖아? 대외활동할 틈이 없었다는 핑계로 딱이네' 나중에 회사 면접 볼 때 이것을 어필하고자 했다.

또 화려하진 않지만, 대학 다니는 4년 내내 공부를 게을리한 적 없는 '성실한 스펙'이 갖춰질 것 같았다. 그럴싸해 보여 흡족했고 편입을 준비한다.

---

* 편입(편입학): 4개의 학기를 이수한 상태에서 다니던 학교를 그만두고 다른 학교에 3학년으로 입학하는 제도

## 슬로 스타터는
## 끝까지 했답니다

'수학 귀신' 이야기를 읽었고 토익에 관심 없는 독자는 이 글을 패스해도 좋다. 이 글의 결론은 내가 편입하기 위해 토익을 공부했고 끝내 목표 점수를 이루었다는 내용이다. 반면에 토익을 공부할 예정이거나 하고 있다거나 혹은 관심이 있는 후배는 끝까지 읽어주면 좋겠다. 하면 된다는 것을 증명한 글이니까.

부산대학교 산업공학과에 편입하기 위해 토익(TOEIC)을 처음 공부한다. 목표로 850점을 세웠는데, 결국 850점을 달성한다. 누군가는 한 달 혹은 두 달만 공부하면 800점을 넘긴다는데 나는 몇 달이 걸렸냐고? 이 질문에 되물어볼까 한다. 850점을 받기 위해 9개월을 공부하고 시험을 10번 쳤다면?

### (제1막) 모든 슬로 스타터가 맨 처음은 막막하다

부끄럽지만 나는 수능 영어 8등급을 맞은 사람이다. 긴 글 자체를 못 읽었다. 그리고 20살, 성적 장학금을 받기 위해 학교에서 친 모의 토익 점수 또한 심각했는데… 고작 165점(990점

이렇게 평생 보낼 줄 알았던 첫 번째 대학 생활

이 만점)! 200문제 중 꼴랑 6문제만 풀었다. 풀 수 있는 게 없어 시험 치는 도중에 엎드려 잤고 눈을 뜨니 내 답안지는 이미 뒤에서 걷어가고 없었다. 수능 영어 8등급, 모의 토익 165점이라는 깊은 바닥에서 위를 쳐다봤다.


군대에서 편입을 목표로 5형식, to 부정사, 분사 등 기초부터 다시 시작했다. 아침 6시 30분이 되면 군대 기상나팔 소리가 울리지만, 특별한 일이 없으면 밤 12시까지 공부하고 잤다. 휴가 나와서도 토익책만큼은 챙겨 갔고 심지어 시험 보기 위해 휴가도 시험 일정에 맞춰 나갔을 정도이다.

그렇게 3개월째, 600점(LC 340, RC 260)이라는 점수를 휴가 때 만들었다. 600점은 어쨌든 하니깐 나오더라. 아직까진 850점과 거리가 먼 점수이긴 하지만.


전역하고 다음 주 월요일, 대학 후문 가까이에 위치한 학원('앤토익')에 등록했다. 학원 다니면 드라마틱한 변화가 생길 줄 알았는데…. 아니었다. 3시간가량 진행되는 수업에 적응하는 자체가 쉽지 않았다. 매 순간 정신없이 필기하기 바쁠 터였다. 다른 학생들은 전부 잘 따라가는 듯한데. 주눅 들었다. 그때부터 집에 가지 않고 학원에 남아 모르는 내용이 생길 때마다 선생님께 찾아갔다.

## (제2막) 첫 번째 변화구, '미지의 노트를 습득한 토익러'

학원 다닌 지 약 한 달째. 토익 점수는 675점(LC 395점, RC 280점)이 나왔다. 노력 대비 점수가 확 오르지 않아 슬퍼하자 선생님은 "영어(언어)는 자주 보고 익숙해지는 것이 중요해"라고 말씀하셨다.

그 말을 듣고는 영어를 지금보다 더 자주 봐야겠다는 생각이 들어 오답 노트(A4용지 한 뭉큼을 그냥 스테이플러로 찍어 만듦)를 만들었다.

처음 보는 LC(듣기 평가) 단어를 정리한 LC 오답 노트, 처음 보는 RC(독해 평가) 단어를 정리한 RC 오답 노트, 마지막으로 part 5(문법 및 어휘력 평가)에 틀린 문제를 정리한 part 5 오답 노트까지. 이렇게 3권을 만든 후 '미지의 노트'라는 이름을 지어 주었다.


다음날부터 부적처럼 이것들을 들고 다녔다. 공부하다 모르는 단어가 나오면? 혹시나 놓칠 새라. 바로바로 노트에 빼곡하게 정리했다. 미지의 노트를 적극 활용한 덕에 영어에 점차 익숙해졌다. 점수가 한 번에 눈에 띄게 오른 건 아니지만, 시간이 흘러 나중에는 '복리효과'가 나타났다고 확신한다.

토익을 어떻게 공부해야 할지 모르겠는 당신. 오답 노트를 만들어 모르는 단어 그리고 틀린 문제를 적어 자주 보는 걸 추천한다.

## (제3막) 두 번째 변화구, '장소를 가리지 않는 토익러'

2주 흘러 다시 찾아온 토익 시험. 점수는 710점(LC 425점, RC 285점)이 나왔다. RC 점수는 제자리걸음이었다. 물 한잔 없이 고구마를 먹으면 답답하다는데 이런 기분일까? 미칠 노릇이었다. 공부 시간을 늘렸다. 월요일부터 목요일은 저녁까지 학원에서, 집에 돌아와서는 LC 공부를. 장소도 늘렸다. 금요일부터 일요일은 집 앞 카페에 출석 도장을 찍기 시작했다.

하지만 학원과 다르게 카페에서는 안일한 마음이 생겨 핸드폰을 자꾸 만지작거리는 게 아닌가. 이러면 안 되겠다 싶어 전원을 꺼봤는데도 똑같았다. 이것을 해결하기 위해 다음날부터 음료 주문과 동시에 핸드폰을 카페 아르바이트생에게 맡겼다. 처음엔 당황한 모습이셨지만, 이 흐름이 반복되니 나중에는 음료만 주문했을 뿐인데 아르바이트생이 아무 말 없이 두 손을 내민다. 그럼 나는 "감사합니다"라는 말을 내뱉고 수줍은 미소를 지으며 핸드폰을 그 위에 둔다.

슬로 스타터는 장소를 가리지 않는 동시에 어떻게든 집중할 방법을 찾는 법이다.

### (제4막) 세 번째 변화구, '기회를 틈틈이 엿보는 토익러'

당신은 눈치가 참 빠르다. 맞다. 토익을 빨리 끝내기 위해 자주 시험을 보았다. 2주에 한 번꼴로.

어김없이 시험 친 이번 점수는 755점(LC 435점, RC 320점). 처음으로 RC가 300점을 넘었다. 노력의 결과였을까? 조금씩 글 읽는 속도가 빨라지고 핵심 단어와 문장을 잘 집어냈다.

또 2주 후! 점수는 770점(LC 415점, RC 355점). 두 달 동안 친 네 번의 시험 모두 점수가 오른 것이다. 확실히 시간이 흐를수록 영어에 익숙해지고 있었다. 허나, 이 770점이 내겐 벽이었다. 다음 시험에서는 755점(LC 450점, RC 305점)과 735점(LC 335점, RC 400점)을 받는다.

그런데 잠깐만. 눈을 크게 떠보자! 400이라고 적힌 글자를 찾았는가!? RC가 급상승했다. 비결이 궁금하면 책을 덮지 말고 끝까지 읽어보자. 언제 나올지 모른다.

## (제5막) 토익 한계를 깨기 위해 꼭 필요한 한 가지

735점을 받았던 시험. 상황은 다음과 같았다. 실망스러운 LC 시험이 끝이 나고 마주친 RC 시험. 원래라면 시간이 부족해 쫓기는 마음으로 RC 문제에 뛰어들었을 텐데… 이미 LC를 망쳐버린지라 마음 편하게 RC 문제를 풀기로 한다. 이때, 처음 겪는 경험을 한다. 마음이 편안해서일까. 이제껏 어려웠던 Part 6, 7을 게임하듯 리듬감을 가지고 문제를 풀고 있던 것이다. 누가 방법을 알려준 것도 아닌데 질문 먼저 간단히 읽고 지문으로 올라가 정답을 찾아 답을 '빵' 체크하고 있었다. 이전과 전혀 다른 새로운 맛을 느꼈다. 시험이 끝날 때까지 계속 느꼈다. 이때 RC. 몇 점 나왔냐고? 위에 적힌 대로 400점! 평생 뚫리지 않을 것 같던 한계가 뚫렸다.

'이제 된다. 종지부를 찍을 날이 얼마 남지 않았어'라고 확신했다. 이날 이후 토익? 게임처럼 느껴졌다.


혹시 Part 7의 긴 지문들 때문에 많이 지치고 의욕이 나질 않는가? 나는 토익 전문가가 아닐뿐더러 실력자가 아니기 때문에 토익에 대한 팁은 줄 수가 없다. 하지만 밑바닥부터 공부했던 토익러로서 이 말은 확실히 할 수 있겠다. 이 한 가지를 성공하면 거짓말처럼 RC 점수는 늘 400점 근처로 나왔다.

바로, RC를 치는 75분 동안은 딴생각 없이 리듬 타며 시험에만 집중해야 한다는 것이다. 여기서 핵심은 '리듬감'이다. 마치 리듬 게임을 하는 것처럼, 토익에 풍덩! 이렇게 '토익'이라는 게임을 즐기고… 종료 종이 들렸다면, 목표 점수에 도달한 것을 축하한다.

이렇게 평생 보낼 줄 알았던 첫 번째 대학 생활

## (제6막) 슬로 스타터의 화려한 변신

12월 13일 일요일. 시험 장소, 울산상업고등학교. 시험이 시작되었다. LC는 여느 때와 다름없이 풀었다. 속삭였다. '오케이, 선방했고' 그 후, RC 시험. 이번에도 탁, 탁, 탁 밑줄 그어가며 정답을 '빵' 찍으며 시간 가는 줄 모르고 토익 게임에 임했다. 너무 몰입해버려 처음으로 모든 문제를 다 풀어버렸다! 그것도 학원이 아닌 시험장에서. 앞 이야기(P23 참고)에 나온 '수학 귀신'이 이번에는 '토익 귀신'이 되어 나타났다고 생각한다. 그때와 비슷한 느낌이었으니까. 종료까지 남은 시간은 1분 30초. 긴장이 풀려 몸이 파르르 떨렸다.

11일 후, 크리스마스이브 날 아침 6시. 반쯤 감긴 눈으로 토익 홈페이지에 들어갔더니 850점(LC 445점, RC 405점)이라는 숫자가 화면에서 빛을 뿜어댔다. 내 목표였던 딱 850점! 1시간 뒤에 찬물로 샤워를 했는데도 내 몸은 계속 뜨거웠다. 그동안의 힘듦이 씻겨 내려갔다.


나는 슬로 스타터*다. 그것도 정말 느린 슬로 스타터. 하지만 느리더라도 포기하지 않으니 목표를 이룰 수 있었다. 토익과 같은 어학 시험만큼은 하면 정말 된다. 이것이 이번 이야기의 전부이다. 아직도 당신의 마음속에 '나도 될까?'라는 걱정이 스멀스멀 올라오는가? 그 두려움, 이제는 사형 선고를 내리자. 이를 잊지 않고 이번 페이지를 넘겼으면 좋겠다. 길게 들려준 이 이야기를 끝까지 읽어줘서 고맙다.

---

\* 슬로 스타터(slow starter): 시즌 초반에는 성적이 부진하지만, 경기를 거듭할수록 본래 실력을 발휘하여 개인 기록이나 성적이 뒤늦게 좋아지는 선수

|  |  |
|---|---|
| 2020.12.13(일) | Total 850 (LC 445, RC 405)<br>수험번호 : 100750 |
| 2020.12.05(토) | Total 735 (LC 335, RC 400)<br>수험번호 : 105441 |
| 2020.11.22(일) | Total 755 (LC 450, RC 305)<br>수험번호 : 112304 |
| 2020.11.08(일) | Total 770 (LC 415, RC 355)<br>수험번호 : 122537 |
| 2020.10.10(토) | Total 755 (LC 435, RC 320)<br>수험번호 : 107994 |
| 2020.09.27(일) | Total 710 (LC 425, RC 285)<br>수험번호 : 108115 |
| 2020.09.13(일) | Total 675 (LC 395, RC 280)<br>수험번호 : 121316 |
| 2020.08.16(일) | Total 520 (LC 350, RC 170)<br>수험번호 : 113929 |
| 2020.07.26(일) | Total 610 (LC 390, RC 220)<br>수험번호 : 145784 |
| 2020.06.28(일) | Total 600 (LC 340, RC 260)<br>수험번호 : 149160 |

앞에 잠깐 말했다시피 나는 토익 전문가가 아니다. 실력자도 아니다. 그래도 다시 생각해 보니 꿀팁은 줄 수 있을 듯하다. 이 글을 완성하며 그때의 기억이 솟아올랐거든. 나만 알기 아깝거든.

## [토익시험을 9개월간 10번 친 학생이 남기는 꿀팁]

1. **교재**: 토익 출제 기관인 ETS 문제집을 사라. 네이버에 '토익 ETS 문제집'이라고 쳐보자. 'ETS'라고 적힌 그거, 하나씩 사면 된다.
-> 수능 공부를 할 때 기본적으로 수능특강, 수능완성 문제집을 푸는 것과 똑같은 개념이다.

2. **음료**: LC 시험 끝나고 RC 시험으로 넘어갈 때 시간이 아깝더라도 몇 초간 뇌가 한숨 돌릴 시간을 주자. 가져온 탄산이 있는 음료를 몇 모금 마시자. 그러고 나서 RC 문제를 보면 머리가 깨어나는 것이 느껴질 거다. (다만, 캔 음료는 뚜껑 열 때 소리가 나므로 지양하자.)

3. **연필**: OMR카드에 마킹할 때 샤프로 절대 정성 들여 색칠하지 말 것. 모닝글로리 혹은 인터넷을 통해 심이 굵은 연필을 사라. 두꺼운 심으로 답을 스윽 칠하면 '0' 모형의 70%가 칠해질 텐데 아무런 지장 없다. 무조건 마킹 시간을 아껴라. 1문제가 아닌 200문제를 마킹한다는 것을 명심하자!

4. **형광펜**: OMR카드를 받고 시험 시작 전, OMR에 있는 문제 번호 밑에 일정한 간격으로 형광펜을 긋자. 구분하자. 예시) 101번 밑에 형광펜, 105번 밑에 형광펜, 110번 밑에 형광펜… 형광펜의 간격에 맞게 답을 외워서 마킹하자. 리듬감이 생기며 속도가 붙는다. 답을 밀려 쓸 확률도 현저히 떨어진다. (참고로 OMR 인식기는 형광펜을 인식하지 못한다.)

5. **찍신**: 아쉽게도 뒤에 못 푼 문제들이 있을 것이다. 그럼 답을 찍을 텐데 이때 막무가내로 찍는 것보다 한 번호로 찍는 것이 좋다. 그럼 속으로 나에게 이렇게 물을 듯하다. '무슨 번호로 찍어야 하는데요?' 네이버에 '해커스 토익'이라고 검색하라. 사이트에 있는 '정답 게시판'에 들어가서 직전 시험의 마지막 10문제 정답을 훑어봐라. 가장 많이 나온 알파벳이 있을 거다. 그 알파벳을 제외한 나머지 알파벳 중 원하는 하나를 선택해 그걸로 찍어라. 찍기는 확률 싸움이다.

## *친구 따라 전과한다*

토익을 이렇게까지 열심히 했는데 결국 편입에 성공했을까? 간절히 바란 목표였긴 했지만, 내 손으로 내가 접었다. 분명 편입할 이유는 확실했었다. 나중에 회사 입사 지원서를 쓸 때, 공부하느라 바빠 대외활동 못 했다는 핑계가 생기니까. 더군다나 대학 생활 내내 열심히 공부한 스토리가 되어주니까.

그럼에도 불구하고 편입만을 위해 내가 좋아하는 울산대를 떠나고 싶지는 않았다. 나름 열심히 공부해서 들어온 자부심 넘치는 학교이니 말이다. 난 내 학교를 사랑했다.

'그래도 대외활동은 진짜 진짜 하기 싫은데… 안 할 핑계를 꼭 만들어야 하는데' 그래서일까. 편입 말고 다른 걸 해버렸다. 전과(다니던 대학교의 전공을 바꿈, 한 번만 가능)를 한다. 충동에 휩싸여서.


과정은 이랬다. 군 복학을 앞둔, 2021년 1월 27일. 저녁에 친구 윤호와 단둘이 밥을 먹었다. 밥 먹으며 미래에 관한 얘기를 나누다가 오늘이 전과 신청하는 마지막 날이라는 것을 우연히 알

이렇게 평생 보낼 줄 알았던 첫 번째 대학 생활

게 되었다. 윤호는 울산대 건설환경공학부에서 전기전자공학과로 이미 전과했던 친구였기에 자연스레 전과에 관한 얘기가 나온 것이다!

잠시만…. 그 순간, 편입하려 했던 열망이 꿈틀거렸다. '전과하면 1학년 때는 전과 준비하느라 열심히, 남은 2~4학년은 새로운 학과에 적응하느라 열심히 공부했다고 하면 이것도 대외활동을 할 수 없었다는 핑계가 되네?' 편입과 전과. 결과만 다르지, 똑같은 스토리를 그릴 수 있을 것 같았다.

그리고 하나 더. 1학년 때의 노력을 지금 당장 보상받고 싶었다 (전과 기준에는 일반적으로 학점과 면접이 있지만, 학점이 제일 중요하다). 밥을 다 먹자마자, 좋은 연료를 때려 넣어 폭발적으로 변신한 불도저 마냥 PC방에 돌진했다.


학교 홈페이지에 접속한 후, 희망 학과로 한 치의 고민 없이 전기전자공학과를 클릭하였다. 더 높은 순위인 학과로 전과하는 것이 내 한계를 뚫는 것 같았고 또 윤호를 포함해 많이 친한 친구들이 그곳에 있었기 때문이다. '저 평소 전기과에 관심 있었어요'를 티내기 위해 네이버 지식인을 참고하여 신청서를 작성했다. 그렇게 급하게 꾸며대며 제출한 신청서.


충동적인 행동을 벌이고 집으로 돌아오는 길. 불현듯 방금 있었던 일이 운명 같다는 생각이 피어올랐다. 오늘이 전과신청 마지막 날이라는 점, 오늘… 전과했던 친구와 밥을 먹은 점, 그리고 1학년 때의 높은 성적까지. 이 삼박자가 다 맞아떨어지니 운명이거니 했다. 정말 이것이 운명이었는지 코로나19로 인해 면접이 취소되어 그대로 전과하게 된다.

학과가 적성에 맞지 않거나 혹은 자신과 잘 맞을 것 같은 학과를 나중에야 발견해 전과한 학생은 주위에 꽤 있을 거다. 하지만 한순간의 충동에 무턱대고 전과를 해버린 학생이 있을까? 이 한 번의 충동적 선택! 앞으로 어떤 일이 펼쳐질까?

## 견고한 성이
## 무너져 내렸다

개강하고 낯선 학과에 조금은 싱숭생숭한 기분. 그래도 잘 적 응하자는 마음이 강했다.

일주일쯤 지났나. 쉽지 않을 거라 예상은 했건만 수업 듣고 는 전기과 공부에 혀를 내둘렀다. 어려워서. 1학년 때처럼 풀이 과정을 전부 외우려 했지만, 그때와는 레벨이 다른 학과에 왔 다. 벅찼다. 전기과 친구들에게 '나 좀 도와줘!!'라고 말할까 싶 었지만, "……". 다들 원격수업(코로나19로 인한 비대면 수업)에 적응하느라 정신없어했을뿐더러 친구들도 공부를 쉬워하는 건 아닌 듯했다. 평소 남 눈치를 많이 보던 나는 도움을 청하지 못했다. 20살, 그때처럼 또다시 미아가 되었다.

혼자 독서실에 가 공부했는데 하루하루가 괴로움의 연속이었 다. '정령 여기가 내가 선택한 학과란 말인가. 아니, 어쩌다가. 남은 3년, 이렇게 살라고?' 비대면 수업 들으며 머리만 싸매는 모습이 상상되어 아침에 눈을 떠도 이불을 머리끝까지 덮고 의미 없는 시간만 보내댔다. '얼른 일어나서 공부하러 가'라고 눈치 없이 울리는 알람 소리. 애꿎은 핸드폰만 뒤집는다. 더 이상 공부는… 눈에 들어오지 않는다. 이러다간 학점이 폭망할 게 확실한 상황. **높은 학점을 받고 전공 자격증과 어학 점수를 취득해 대기업에 취직해야겠다는 꿈**에 실금이 가고야 말았다.


3월 29일. 결국, 최후의 카드를 꺼내 들었다. 학기 도중, 휴학을 선택했다. 급한 불부터 껐다. 그렇게 숨 좀 돌릴까 싶었는데… 예상치 못한 패배감이 갑자기 나를 휘감았다.

남보다 잘나고 싶었던 내게 '1년 늦게' 졸업하여 취업한다는 현실이 이미 한 발짝 뒤처진 것처럼 다가온 것이다. 아뿔싸, 급한 불을 끄느라 미처 생각하지 못했던 부분이었다. 순식간에 승자에서 패배자로 몰락한 기분. 풍선이 한 방에 펑 하고 터지는 것처럼 그동안 쌓아 놓았던 견고한 성이 무너져 내렸다(직선이 아닌 곡선으로 살수록 담을 것이 많다는 것을 이때는 몰랐다).


충동적으로 전과해 내 무덤을 팠지, 한방에 패배자가 되어버렸지. 고통스러운 마음에 숨어버린다. 집에만 처박혀 히키코모리* 생활을 시작했다. 누구와도 연락하지 않았다. 숨었다. 매일 라면 먹고, 누워서 유튜브로 과거 예능 영상만 보고, 해 뜨면 자고. 먹고 보고 자고, 먹고 보고 자고….

겉으로 보면 이 생활이 참 편안해 보이겠다. 과연 그럴까? 편안하기는커녕 꼭두각시 줄에 놀아나서인지 미래가 보이질 않

---

* 히키코모리: 정신적인 문제나 사회생활에 대한 스트레스 따위로 인하여 사회적인 교류나 활동을 거부한 채 집 안에만 있는 사람.

이렇게 평생 보낼 줄 알았던 첫 번째 대학 생활

아 스트레스만 어마어마하게 받았다. 잘 땐 점차 4~5개의 꿈을 꾸기 시작했다(그때를 계기로 지금도 잘 때 2~3개의 꿈을 꾼다). 수면의 질이 나빠 다음 날 눈 뜨면 기분은 늘 최악 그 자체였다. 오후에 일어나 머리가 지끈거린 채 소파에 앉아 방금 꾼 여러 꿈을 되짚어본다. 이상하다. 꿈들이 너무 생생하다. 꿈이었나? 어제 있었던 일이었나? 좀처럼 구분되지 않는다. 헷갈린다. 아, 정신에 이상이 생긴 것 같다. 며칠 뒤엔 몸에도 이상이 생긴다. 머리카락이 조금씩 빠지기 시작했고 일곱 살 이후로 나지 않던 편평 사마귀가 몸을 덮었다. 세상 사람들은 하나같이 다채로워 보이는데 나만 흑백으로 바뀐 듯했다. 견고한 성이 박살 난 폐허는 생각보다 추웠다.

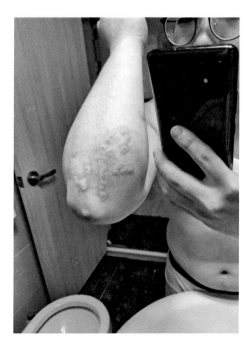

*점점 퍼지던 편평 사마귀*

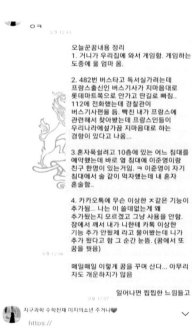

*당일 꿈꾼 것들을 정리한 카톡*

## 그 후,

부모님의 눈치에 내 뒤통수는 매일 따끔거렸다. 그래도 꿋꿋하게 한 달가량 방에 박힌 채 살았다. 이 '한 달'을 글로 표현하자니 단 두 글자지만, 교도소에 수감된 죄수가 차려지는 밥만 축내며 하루가 얼른 끝나길 바랐던 기간이었다. 그러다 가뭄에 콩 나듯 도돌이표였던 삶 속에 빠져나갈 틈이 보였다.

틈이 보일 때, 어서 탈출해야 했다. 틈 사이로 뭐라도 해야 했다. 용기 내서 뻗은 첫발은 다름 아닌 운동이었다. 아파트 관리사무소 헬스장에 등록하고 운동을 하러 나갔다. 확실히 신체활동을 하자, 성취감이 들었고 긍정적인 사고회로가 돌았다. '오케바리. 이거다' 운동하며 일상이 정상궤도에 점점 진입했다.

잠시만! 이 글을 읽고 있는 다른 후배가 궁금한 것이 있는 것 같다. 질문 듣고 이어가고 싶다. "운동으로 첫발을 딛기 전, 악순환에 빠져나갈 틈이 보였다는데 계기가 따로 있었나요?" 아, 없었다. 나도 그때를 회상하며 계기가 무엇이었는지 기억을

이렇게 평생 보낼 줄 알았던 첫 번째 대학 생활

짚어보고 있는데 정말 없다. 이전에 악착같이 살아서 그랬을까? 시간이 지나면서 이 삶에서 탈출하겠다는 '간절함'이 저절로 생겼다.

여기서 중요한 것은 간절함이 생기고 난 후다. 간절함이 내게 말을 걸었을 때, 내가 피했다면 지금도 죄수처럼 누워서 밥만 축내고 있었을지도. 이 삶을 저항했다. 변화를 결심했다. 할 수 있는 걸 해봤다. 그래서 예전 삶을 되찾았다.


일상에 복귀하니 한 가지 놀란 점이 있었다. 한 달간 아무것도 하지 않아 세상에 뒤처졌을 줄 알았다. 그런데 아니었다. 그대로였다. 오히려, 세상 밖으로 나온 나를 기다려줬다는 느낌을 받았던 것 같다. 친구든, 사회든.

터널을 벗어나, 다시 하루가 시작됐다. 바닥을 쳤으니 이제껏 경험하지 못한 새로운 세상을 맞이할까? 음, 이제껏 '취업하기'에만 관심이 있던 새파란 스물셋짜리는 단지 독해졌을 뿐이다. 그대로 나아간다. 하나하나씩. 컴퓨터활용능력 2급, 워드프로세서 1급 자격증을 따고 토익을 다시 공부해 870점을 만들었다.

그랬더니 뿌듯한 마음과 함께 '다음엔 무얼 하지?'라는 설렘까지 생기기 시작했다. 남은 휴학 기간은 계속해서 자격증을 취득하기로 계획 세웠는데. 그러던 어느 날!

## 참 고마운 친구,
## '열등감'

여느 때와 다름없이 화장실에서 볼일 보며 유튜브를 보던 중, 유튜브 알고리즘의 마법사가 내게 하나의 영상을 추천해 준다. 바로 '울귀당귀'! 울산대 학생이 여러 학우 앞에서 스피치를 하는 프로그램이었다. 클릭해 영상들을 쭉 내렸는데 한 섬네일을 보고는 멈칫했다. 일면식이 있는 중학교 동창 한 명('동창 C'라고 칭하겠다)의 얼굴이 섬네일에 담겨있었기 때문이다.


사실, 내가 토익 학원 다닐 때 동창 C를 버스에서 우연히 만난 적 있었다. 아침 일찍 어디 가는지 궁금해 물어봤었는데 동아리 활동을 하러 학교에 가고 있다고 그랬다.

"그렇구나. 열심히 사네~"라고 겉으론 이렇게 대답했지만, 속은 마냥 긍정적이진 않았다.

'아니, 취업 준비 안 하나? 요즘같이 취업이 힘들다는 시기에 웬 동아리 활동…?'

　이렇게 평생 보낼 줄 알았던 첫 번째 대학 생활

그런 시선을 가지고 동창 C를 바라봤건만 이 영상을 보고 깜짝 놀란다. 동창 C는 학교 국제교류동아리(HOW.U) 회장직을 맡고 있었고 그전까지 대외활동, 봉사활동 등 수많은 활동을 해왔던 게 아닌가. 동창 C에게 나오라 하고 내가 저 스피치 무대에 선다면? 안타깝게도 "공부 열심히 했어요" 말고 할 얘기가 없었다. 박수갈채를 받는 동창 C. 반면에 책상 앞에 앉아 있는 꾀죄죄한 모습의 나. 원투 카운트 펀치를 한 방 먹었다…. 핸드폰을 보고 있는 내 모습엔 별일 없었지만, 내 머릿속에는 별일이 생겼다. 방으로 가서 무언가에 씐 것처럼 유튜브에 있는 모든 '울귀당귀' 영상을 찾아본다. 얼마 지나지 않아 깨달을 수 있었다.

난 해본 적 없는 여러 경험을 영상 속의 그들은 가지고 있다는 것을. 그들은 나와는 다른 대학 생활을 하고 있다는 것을. 세계적으로 유명한 일론 머스크, 대한민국의 손흥민을 보고는 열등감을 느낀 적 없었지만, 나와 비슷한 환경(같은 대학) 속에 있는 사람들이 내가 가지지 못한 걸 가졌다고 하니 '열등감'이라는 것이 느껴졌다. 사람 성향 차이도 분명 있겠지만, 나에겐 크게 다가왔다.

그래서 어떻게 했냐고? 초반에는 겁쟁이였던 나를 깎아내리며 달달 볶았다. 화나는 마음에 밖으로 나와 집 앞 산책로를 걸으며 왜 이런 감정을 느낄까 고민하기 시작했다. 그러다 나중에는 그들과 나의 차이를 인정해버렸고 주먹을 쥐고 속으로 속삭였다.

'지금 휴학한 김에 시간도 많으니
두 눈 질끈 감고 나도 한번 시도해 보자!'

열등감으로 느껴진 것들을 이제부터라도 내 것으로 만들고 싶었다. 대외활동을 막고 있던 마음속 거대한 벽이 이때 균열이 나기 시작했다.

이 이야기에선 한 가지 내가 잘한 점이 있다. 이 정도 자화자찬은 이해해줬으면 하는 바람이다.

무방비 상태에서 열등감을 느끼지 않고 '몸을 움직이는 활동'을 하며 느꼈다는 것이다. '저들과 내가 왜 다르지? 나도 열심히 살았는데 왜 저들 사이에 끼지 못하지?'라고 침대에만 가만히 누워서 생각했으면 아마 끝없이 부정적인 생각만 가득 찼을 거다. 난 며칠간 산책을 통하여 이런 생각을 반복했다. 그랬더니 알아서 악의 감정이 점점 사라졌다. 인정했고 객관적인 시선에서 나의 부족한 점을 볼 수가 있었다.

열등감이란 것은 인간이라면 누구나 다 느끼는 감정이다. 당연한 사실이다. 나만 혹은 당신만이 느끼는 것이 아니다. 그런데 이 감정을 어떻게 다스리는지가 중요하다. 열등감이 느껴지면 우선은 빨리 몸을 움직이자. 걷든, 청소하든, 운동하든, 자전거를 타든. 신체 활동을 하면서 뭐 때문에 열등감을 느끼는지 짚어보자. 그리고 짚어본 김에 내가 이러이러한 점이 못났다는 걸 인정도 해보자.

요즘 난 열등감을 느끼면 최대한 빨리 헬스장으로 간다. 가서 30여 분 동안 분노의 쇠질을 한다. 하면서 나의 못난 점을 생각해 본다. 그럼 운동이 끝날 즈음, 나의 못난 점을 알게 해준 그 사람이 멋있어 보인다. 배울 점밖에 안 보인다. 그럼 내 멘토로 삼는다.

누군가는 열등감에 푹 빠져 밑에서 허우적거리는 동안 다른 누군가는 역전의 발판으로 삼아 위로 치고 나간다. 무방비 상태에서 허우적거리지 말고 신체 활동을 통해 위로 치고 나갔으면 한다. '열등감'이라는 좋은 친구를 가진 우리가 되었으면 하는데, 당신의 생각은 어떠한가?

# CHAPTER 3

<u>조금씩 바뀌는</u>
두 번째
대학 생활

## 나무를 25번 찍어보았다

울귀당귀를 본 후, 영상에 나온 학생들이 말해준 대로 학교 홈페이지를 매일같이 들락거렸다. 그뿐만 아니라 '위비티'와 '링커리어'(이하 공모전, 대외활동, 인턴 등의 정보가 있는 사이트)에도 접속하여 눈에 불을 켜고 마우스 스크롤을 내려댔다.

그러나 슬프게도 수많은 공모전 중 내가 할 수 있는 것은 제한적이었다. 영혼까지 끌어모으니 N행시, 아이디어 내기, 수필 쓰기, 사진 공모전 등…. 초등학생도 할 수 있는 것들이었다. 하긴 이제껏 해본 게 없는데 할 수 있는 게 얼마나 있으랴. 그래도 경쟁률 높은 공모전을 제외하고 해볼 수 있는 건 다 시도해 본다.

꽃 사진을 찍어 제출해보고, 감수성이 풍부해지는 새벽 시간대를 활용해 편지와 독후감도 써보고, 또 아이디어도 한번 짜내보고. '그래도 이 중의 하나는 당선되겠지'라는 마음가짐으로 하나씩 하다 보니 총 25개를 접수했다! 공모전의 결과는…? 신은 손쉽게 결과를 선물해 주지 않았다.

# 모두 탈락!

| | | | | uounews2@naver.com | 제 43회 문수문예 시 부문 작품_이동훈 |
| --- | --- | --- | --- | --- | --- |
| | | | | saup@ksilbo.co.kr | (울산)청년정책 아이디어 PT대회 참가신청서_이동훈 |
| | | | | u19990098@ulsan.ac | 세종대왕께 손편지 쓰기 _이동훈 |
| | | | | meshgold100@korea.kr | 울산자치경찰 정책 제안 공모전 -이동훈- |
| | | | | ysm920@ujf.or.kr | 2021 울산 일자리 창출 아이디어 공모전_이동훈 |
| | | | | orjh1106@naver.com | 울산 일자리 공모전.hwp |
| | | | | orjh1106@naver.com | 울산 일자리 공모전.hwp |
| | | | | sonagilove21@naver.com | 2021 [황순원문학촌 소나기마을 나의 첫사랑 이야기' 공모전 신청 |
| | | | | bestlasik1@naver.com | 26회 빛창공모전 겨울편 '시인이 되다' 신청서 -이동훈- |
| | | | | contest@kiost.ac.kr | 독도 전용연구선 선명 공모전 신청 -이동훈- |
| | | | | kookjecontest@daum.net | 제7회 극지·해양 도서 독후감 및 콘텐츠 감상문 공모전 신청합니다~~~!!! -이동훈- |

　'역시 난 안 되나 봐'. 허탈한 결과에 실망감만 가득 찼다. 물론 당신은 열 번, 혹은 한번 만에 파랑새를 기대할 수도 있다. 무언가 잘 풀리지 않는 데에는 이유가 있기 마련이다. 마음 깊숙한 곳에 '어차피 난 안돼!'라는 확신을 가진 채 의자에 기대앉아 대강대강 끄적이기만 했기 때문이다.

　그래도 포기만큼은 하지 않았다. 문을 계속 두드렸다. 그랬더니 무료했던 삶에 파장이 일어난다.

## 아무것도 할 줄 몰랐던
## 학생이 전하는 메시지

어느 하루, 여느 때와 마찬가지로 자기 전 학교 홈페이지를 클릭했다. 공지 사항 게시판에는 '로컬 스타트업 아이디어 도출 캠프'에 참여할 울산대학교 학생 5명을 모집한다는 글이 올라와 있었는데, '선착순'이었다. 공지를 쭉 읽어본다.

이 프로그램은 8개의 대학교(가톨릭관동대, 경남대, 계명대, 아주대, 울산대, 전주대, 한남대, 호남대)가 각자 소속 대학이 위치한 지역의 문제점을 발굴한 후 해결책을 발표하는 '1박 2일' 형식의 단기 캠프였다. 공지를 읽던 중 눈동자가 바둑알만 하게 커졌다!

'참가자 전원에게는 상장이 수여됩니다'. 참가한 모두에게 상을 준다고 맨 밑에 적혀있던 게 아닌가. 등수에 따라 상의 훈격만 다를 뿐이었다. '참가만 하면 상을 받는다고? 25패 후 드디어 1승을 할 기회잖아'라는 부푼 기대감 속 '참가' 버튼을 눌렀다.

며칠 후, 내게 온 문자 한 통. 울산대 소속으로 캠프 참여가 확정되었다는 문자였다. 학교 홈페이지를 매일매일 보지 않았으면 선착순에 들지 못했을지도…. 드디어 빛을 본 것만 같았다.

9월 9일. 사전에 안내받았던 교내 35호관 건물에 도착했다. 휴학한 지 5개월 만에 가보는 학교. 설레기보다는 긴장이 앞섰다. 학교도 오랜만이고 처음으로 낯선 사람들과 뭔가를 한다는 사실이 떨려 마인드 컨트롤을 했음에도 불구하고 긴장을 안 했다면 거짓말일 것이다. 침 한번 꿀꺽 삼키고 들어갔더니…, 울산이 좁긴 정말 좁은가 보다.

알고 지내던 중학교 친구, 한얼이를 여기서 만났다. 이 프로그램에 한얼이도 참가한 것이다. 그리고 우리가 가장 어렸다(23살). 이때, 안도감이 조금 들었달까?

뒤이어 가운데가 'ㅁ'자 형태로 뚫려있는 큰 탁자에 앉아 모두 마주 보며 '아이스 브레이킹*'을 하는 시간을 가졌다. 초면이라 다들 좀 서먹서먹하던 분위기.

'내가 한번 말을 많이 해보자'. 지금이나 그때나 어색한 걸 싫어했기 때문에 어색함을 누그러트리고 싶었다. 용기 내어 말을 많이 꺼낸 덕분에 분위기는 점차 화기애애해지기 시작했다. 어느새 애기는 나를 중심으로 흘러가고 이때, 팀 이름도 내가 말한 것으로 정해졌다. 'U레카'(울산대학교의 'U' + '유레카'). 순조로웠다. 그리고 자신감이 올랐다. 하지만 여기까지였다.

본격적으로 우리는 '울산'이라는 지역의 문제점과 그것을 해결

---

* 아이스 브레이킹(ice breaking): 새로운 사람을 만났을 때, 어색하고 서먹서먹한 분위기를 깨뜨리는 일

조금씩 바뀌는 두 번째 대학 생활

할 아이디어를 논했다. 모두가 점점 열띤 회의를 하기 바쁜데 나는 점점 조용해졌다. 사회 이슈에 관해 아는 것이 제로였기 때문에. 게다가 회의도 처음 해보아 사람들 눈치만 살펴대기 바빴다. 그래도 멍하니 앉아만 있을텐가. 하나의 주제가 나오면 인터넷을 검색하며 할 말을 고민했다. 그러나 입을 열려 하면 이미 다른 주제로 넘어가 있었다. 따라갈 수 없었다. 이 흐름이 몇 시간 동안 반복되었다.

점심이 지나고 오후 3시쯤, 인스트럭터님(피드백을 해주기 위해 학교별로 파견된 교수님)이 우리를 돕기 위해 오셨다. 그분이 오신 이후에는 체계가 잡혀 열띤 회의가 이어졌다. 그들의 얘기를 들으며 내가 말없이 고개만 끄덕이는 것도 이어졌다.

이때, 속으로 '대외활동이 이런 것이구나. 다음부터 절대 안 해야지'라고 다짐한다. 이해한 건 없는데 이해한 척 고개만 끄덕거리고, 시간이 흘러가기만을 바라며 노트북 화면만 뚫어져라 보는 것은 내게 고통스러운 시간을 안겨주었기 때문이다.

드디어 저녁이 되었다. 그사이, 울산의 문제점이 정해졌다. '공업도시'라는 이미지 때문에 관광객이 적어 울산의 경제가 활성화되지 않는다는 것이 문제점이었다. 해결할 아이디어도 정해졌다.

### 공업도시 울산의 탈바꿈화!

아이디어는 크게 세 가지.

**첫 번째**, 밤이 되면 저 멀리 반짝이는 제조업들을 볼 수 있는 울산대교, 그것을 연계한 '산책로'를 개발하는 것.

**두 번째**, 주말 야간 공장 내 야외공간을 활용해 '팝업스토어*'

---

* 팝업스토어: 사람들이 붐비는 장소에서 신상품 따위의 특정 제품을 일정 기간 동안만 판매하고 사라지는 매장.

를 도입하는 것.

**마지막 세 번째,** 노후화된 공장을 활용해 '자동차 미니테마파크'를 설립하는 것.

이렇게 공업도시의 특징을 살려 새로운 콘텐츠를 만드는 게 우리의 아이디어, 아니 그들의 아이디어였다.

## 04 비즈니스 아이템 (1) – 중공업 산업부지 활용

- 울산대교 산책로와 연계하여 야간의 중공업 시설을 활용한 **산책길 개발**
- 주말 야간 공장내 공간 활용한 **팝업스토어**

이젠, 다 같이 PPT를 만드는 시간. 내가 PPT라도 잘 만들었을까? 하…, 팀에 별 도움이 안 된 것도 모자라 이제껏 PPT를 만들어 본 적 없었다. 참나. 한얼이에게 이것저것 물어보며 겨우 완성할 수 있었다. 하지만 속이 빈 강정은 곧장 드러나는 법이다. 인스트럭터님이 내가 한 것만 다시 다듬어 주셨다(EX. 울산대학교 -> 지역 내 대학, 상인 -> 지역 상권 소상공인). 부끄러워 사람들 눈치만 살펴댔다.

마지막으로 내일 발표자를 정하는 시간. 발표라도 내가 해야하는 게 맞았지만…. 이제는 예상될 거다. '뭐하냐? 이동훈 진짜' 나는 꿀 먹은 벙어리가 되어있었다. 발표는 상헌이 형(팀원)이 하겠다고 한다. 자진해서 하시다니! 더 초라해 져버린 내 모습.

조금씩 바뀌는 두 번째 대학 생활

다음 날 아침 9시. 어제와 같은 곳에 모였다. 내게 주어진 임무는 딱 하나, 속으로 하는 응원뿐. 첫 번째 학교를 시작으로 발표가 시작되었고 그로부터 2시간쯤 지났을까? 모든 학교의 발표가 끝이 났다. 뒤이어 나온 결과. 우리 팀의 순위는?

이럴 수가. 1등! 우리(울산대학교)가 8개의 대학교 중 1등을 한 것이다. 모두 벌떡 일어나 포효하며 기쁨을 만끽했다. 시종일관 굳어있던 내 표정이 이때는 기쁨으로 가득 찼다. 그제야 형들에게 다가가 정말 고생 많으셨다고… 마음을 전했다. 형들도 내게 팀 이름 기가 막히게 지었다고 그랬다.

그로부터 며칠 뒤, 우리 소식은 일곱 군데의 뉴스 신문에 발행된다. 기사 제목은 『울산대 'U레카팀', 로컬 스타트업 아이디어 캠프 '대상'!』. 기사 메인 사진에 내 얼굴이 있다는 것이 신기하기만 했다. 하지만 난 안다. 찰칵 기념사진을 찍을 때, 마스크를 기준으로 위에는 웃고 있고 밑에는 정색하고 있는 내 모습을 말이다. 양심에 자책을 느껴 대외활동에 다시 도전하기로 한다.

단, 지금과 다른 모습으로.

'선배님, 결과적으론 한 거 없이 무임승차했다는 이야기입니까?'라며 속으로 이렇게 물을지도 모르겠다. 눈썰미 있는 당신이 정확하게 집었다. 그래. 비록 의도하진 않았지만, 무임승차를 했던 것 같다. 그래도 그 덕에 당신께 내가 할 말이 생겼다.

혹시 대외활동을 해본 적 없는가? 그래서 막연한 두려움이 있는가? 나도 그랬기에 그 마음 너무나 잘 안다. 얼마나 두려운지. 그래도 참가할 기회가 주어진다면? 참가해라! 설령 가서 눈치 보고 주눅만 들 것 같다면? 지나고 나면 정말 아무것도 아니다. 그러니 참가해라! 하기 전에는 몰랐다. 반성과 성과를 동시에 챙길 줄은.

막상 해보면 상상하지 못한 순간이 펼쳐지고 분명 깨닫는 것도 많을 거다. 그러니 꼭 참가하자. 이 말을 마음속으로 받아 들여준 당신은 참 따뜻하고 멋진 내 후배다. 고맙다.

**경상일보**
2021년 09월 13일
12면 (인물)

## 울산대 'U레카팀', 로컬스타트업 아이디어 캠프 대상 수상

울산대학교 'U레카팀' (팀장 생명과학부 3년 오상헌)이 공업도시 울산을 산업과 관광이 융합된 도시로 이미지를 탈바꿈할 수 있는 주제를 풀어내 한국청년기업가정신재단 이사장상인 대상을 받았다.

울산대학교 사회맞춤형산학협력선도대학(LINC+) 육성사업단(단장 이재신)은 한국지역대학연합(RUCK) 8개 대학과 공동으로 '2021년 로컬스타트업 아이디어 캠프'를 지난 9-10일 울산대 산학협동관에서 개최했다.

8개 대학이 도시재생 및 지역재생 개념을 활용해 각 대학이 위치한 지역의 문제를 고민하고 대안을 기획하는 시간을 가졌다.

8개 팀, 40명의 학생이 참여한 이번 대회에서 울산대 'U레카팀' (팀장 생명과학부 3년 오상헌)이 대상을 차지했

울산대학교 'U레카팀' 이 공업도시 울산을 산업과 관광이 융합된 도시로 이미지를 탈바꿈할 수 있는 주제를 풀어내 한국청년기업가정신재단 이사장상인 대상을 받았다.

다.

오상헌 학생은 "이번 캠프를 통해 팀원들과 함께 지역 문제를 고민하고 이에 대한 해결방안을 구체화하면서 '같이' 라는 가치를 얻을 수 있었다"며 "프로그램 참여로 지역 균형 발전과 동반성장의 중요성을 깨닫는 기회가 됐다"고 말했다. 이원수기자 wslee@ksilbo.co.kr

(17.4*10.7)cm

## *[대외활동에서 1등 할 수 있었던 이유]*

1. 관심: 항상 학교 홈페이지에 관심을 가졌고 어느 날 선착순 5인에 들었다.

2. 행운: 일단 참가했더니 다행히 좋은 팀원과 인스트럭터님을 만났다.

## *[느낀 점]*

1. 처음에만 잠깐 빛나지 말고 시간이 지날수록 빛이 나는 존재가 되어야겠어.

2. 조별과제 때, 무임승차한다는 사람이 바로 나였구나. 다음부터 최소한 발표라도 내가 자진해서 해야겠어.

3. 지금과 다른 모습으로 한 번 더 대외활동에 도전해야겠어.

# 언더독이 반란을 일으키다

9월, 처음으로 나간 대외활동에서 1등 했지만 나 자신에게 크게 실망했다. 인정한다. 내 능력이 없었다는 것을. 하지만 평생 인정할 수만은 없지 않은가. 한 번 더 대외활동을 신청한다. 그리고는 '최우수상'을 받는다. 지금부터 그 여정과 비법을 샅샅이 공개하겠다.

9월 말, 학교 홈페이지 공지사항에서 포스터 하나를 본다. '울산지역대학 Youth 창업 우수 아이디어 경진대회'. 울산과학대학교, 울산대학교 그리고 UNIST. 이 3개의 학교가 참가하는 대회 포스터였다. 아래는 이 대회를 요약한 내용이다.

창업 아이디어가 있는 '2~3팀'을 학교마다 선발함. 여기서 선발된 팀은 각 학교 대표가 됨. 그럼 본선 무대에 진출하게 되고 그 뒤로 창업 교육을 받아 팀의 아이디어를 다듬을 수가 있음. 그리고 대망의 마지막 날. 최종 발표를 하고 순위별로 상장을 받음.

조금씩 바뀌는 두 번째 대학 생활

이때! 학교 대표만 되어도 '장려상'은 확보된다고 적혀있었다. 바로, 마음먹었다. 장려상 받아보자고. 그러기 위해서는 우선 참가를 해야 했는데 이번엔 저번 대외활동처럼 선착순으로 '신청' 버튼만 누르면 되는 게 아니었다. 팀을 꾸려서 신청해야 했고 사업계획서라는 것을 작성해야만 했다.

잠깐, 이 두 가지(팀 단위로 신청, 사업계획서 작성) 때문에 진입장벽이 느껴지는가? 그래, 솔직하게 난 느껴지더라. 그래도 할 수 있을 것 같았다. 도리어 간단할지도.

팀은 뭐, 주변 친구들에게 하자고 해 꾸리면 되는 거고. 사업계획서는 괜찮은 아이디어를 정해 그럴싸하게 적기만 하면 되니.

고민도 잠깐. 윤호와 민제, 그리고 재현이(이하 고등학교 친구들이자 전기과 친구들)에게 해보자 했다. 다행히도 다들 대외활동을 해본 적 없어 모두 하겠다고 하더라. 이렇게 우리 F4는 첫발을 내디뎠다.

## (제1막) 참가 신청을 시도하는 언더독

며칠이 지난 오후, 첫 아이디어 회의. '어떤 아이디어로 대회에 신청할까?' 어쩌면 가장 중요한 주제. 내가 미리 준비해간 아이디어를 친구들에게 말했는데 "음, 괜찮은데? 괜찮은 것 같아"라는 미적지근한 반응만 돌아올 뿐이었다. 신박한 아이디어라는 건 듣자마자 "오!"라고 감탄하는 것일 텐데.

그런데 잠시 후! 모두가 "와!"라고 내뱉는 순간이 온다. 주인공은 민제. 말이 적고 조용했던 민제가 한 마디 툭 던진 것이다.

"책상과 사물함이 합쳐진 고등학교 책상 어때?"

 단순하면서도 생각해 보지 못한 발상 때문이었을까? 모두가 고개를 끄덕였다. 민제의 마법은 계속되었다. 뒤이어 '틴커캐드*'라는 프로그램을 활용해 책상과 사물함을 합친 단순한 모형 하나를 민제가 만들어냈다. 사업계획서의 판가름을 좌우하는 '아이템의 사진'이 이때 만들어진 것이다. 사실, 모형이 밋밋했던 나머지 보자마자 모두 풋! 하고 웃어댔긴 했지만. 그러나 이것이 최선이었다.

 나머지 세 명은 사업계획서를 작성했다. 처음 써보는 사업계획서……. 머리를 짜내며 최대한 공란이 없도록 채웠고. 그렇게 해가 진 다음에야 우린 참가 신청을 했다.


 그로부터 5일 뒤, [본선 진출 팀]의 결과가 나오는 날. 두근두근거리는 마음으로 명단을 보는데…. '이 0 훈'이라는 이름과 함께 옆에는 내 핸드폰 번호가 떡 하니 있었다. '앗, 뽑혔다!' 자리에 곧장 일어나 친구들에게 전화를 돌리니 그때 들려온 친구들의 반응.

 '아니, 이게 붙는다고!?' 나도 똑같은 생각이었다. 그렇지만, 이제 현실이다. 우리가 울산대학교 대표라는 것이!

---

* 틴커캐드(Tinkercad): 블럭을 가지고 조립하는 형식이나 깎아내는 형식으로 모델링을 할 수 있는 초심자 지향적인 CAD. 매우 쉽게 사용 가능하다.

조금씩 바뀌는 두 번째 대학 생활

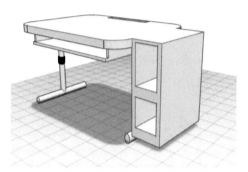

| 구분 | 대표자명 | 휴대폰 가운데자리 |
|---|---|---|
| 1 | 장 O 아 | 6*3* |
| 2 | 이 O 나 | 4*3* |
| 3 | 고 O 준 | 5*0* |
| 4 | 이 O 훈 | 2*4* |
| 5 | 이 O 순 | 4*1* |
| 6 | 이 O 주 | 7*3* |
| 7 | 김 O 준 | 2*5* |

* 대표자 성함 및 연락처는 신청서에 작성한 내용 기준임
** 순번은 접수순이며, 순위와 상관없음

우리 아이템(학교 책상 + 사물함)                    본선 진출 팀 결과

## (제2막) 열정을 가지니 나타난 '마법'

결과 발표 일주일 후, 선발된 팀들이 모여 창업 교육을 들었다. 거기서 얻은 큰 수확은 뭐였을까? 그 전년도에 작성된 실제 사업계획서 샘플을 받았다는 것. 본선 진출도 감지덕지한 우리에게 조그만 희망이 생겼다. 의지가 생겨 집으로 돌아가 고민했다.

'우리 팀의 차별화된 색깔은 무엇일까?'

다른 팀에 비해 뛰어날 것이라곤…. 한 가지, 열정이었다. 아니, 솔직하게 하면 되는 게 Passion, 열정 아닌가! 열정만큼은 지금부터 열심히 하면 되는 거니까. 최종 발표 때 우리가 노력했다는 걸 심사위원분께 보여 드리고 싶었다. '어떻게 열정을 보여 드리지?'라며 고민하던 중 문득 설문 조사가 떠올랐다.

역지사지로 내가 심사위원이라면 직접 설문 조사까지 한 팀의 노력은 차마 무시할 수는 없을 것 같았다. 고등학생들을 대상으로 시도하기로 한다.

설문지를 만들었다. 서툴러서 이틀이 걸렸다. 책상 사진도 넣고 질문도 넣고 질문에 대답할 체크란도 넣으니 꽤 그럴싸해졌다. 완성하고는 나의 든든한 지원군, 고등학교 선생님들께 부탁을 드렸다.

"창업 대회에 나갔는데 혹시 쌤 반 학생들에게 간단한 설문조사를 해도 괜찮을까요?"

다행히 선생님 두 분(송혜선, 이유빈 쌤)이 설문지를 반 학생들에게 전달해주셨고. 그렇게 약 학생 50명의 의견이 모아졌다. 설문 결과를 보니 대부분이 우리 책상에 대해 긍정적이었다. 또, 정말 고맙게도 학생들은 피드백까지 해줬다.

①번 피드백: "가로 길이가 너무 길어요"

②번 피드백: "책상 옮기기 무거울 것 같아 바퀴가 있으면 좋을 것 같아요"

:

등등

조금씩 바뀌는 두 번째 대학 생활

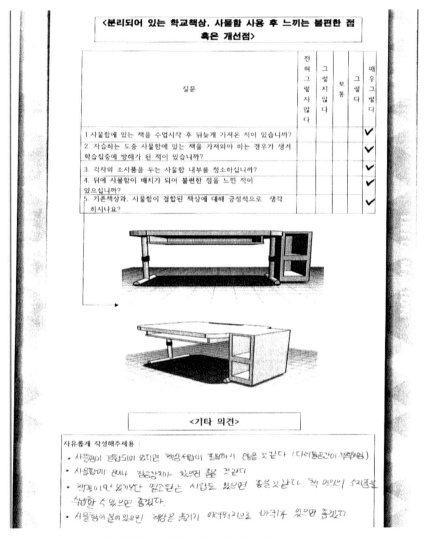

**〈분리되어 있는 학교책상, 사물함 사용 후 느끼는 불편한 점 혹은 개선점〉**

| 질문 | 전혀 그렇지 않다 | 그렇지 않다 | 보통 | 그렇다 | 매우 그렇다 |
|---|---|---|---|---|---|
| 1. 사물함에 있는 책을 수업시작 후 뒤늦게 가져온 적이 있습니까? | | | | | ✔ |
| 2. 자습하는 도중 사물함에 있는 책을 가져와야 하는 경우가 생겨 학습집중에 방해가 된 적이 있습니까? | | | | | ✔ |
| 3. 각자의 소지품을 두는 사물함 내부를 청소하십니까? | | | | | ✔ |
| 4. 뒤에 사물함이 배치가 되어 불편한 점을 느낀 적이 있으십니까? | | | | ✔ | |
| 5. 기존책상과, 사물함이 결합된 책상에 대해 긍정적으로 생각하시나요? | | | | | ✔ |

**〈기타 의견〉**

자유롭게 작성해주세요 :
- 사물함이 통합되어 있다면 책상사람이 편하지 않을 것 같다 (다리들공간이 부족해짐)
- 사물함에 혹시 잠금장치가 있었으면 좋을 것 같다
- 책꽂이만 있기보단 뚜껑도된는 서랍도 있으면 좋을것같다. 책 이외의 소지품도 수납할 수 있으면 좋겠다
- 사물함이 붙어있으면 책상을 옮기기 어려워지므로 바퀴가 있으면 좋겠다

*울산과학고등학교 한 학생이 작성해준 실제 설문지*

가로 길이? 바퀴? 여기서 영감을 받는다. 덕분에 지금부터 우

리 아이템의 전과 후가 나뉜다.

다시 보니 책상 가로 길이가 긴 것 같아 사물함을 떼어내 밑에 두기로 한다(①번 피드백 장착). 또, 사물함 밑부분에 바퀴를 달아 사물함을 접었다 폈다 할 수 있게 한다(②번 피드백 장착).

이것들을 종합해 민제가 다시 모형을 만들었는데⋯. 전보다 훨씬 더 괜찮고 기능도 다양해졌다. 됐다 싶었다.

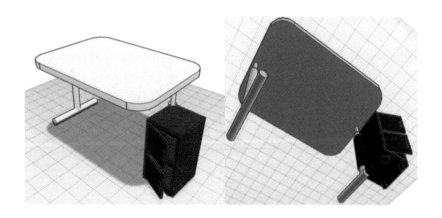

## (제3막) 저번에 느꼈던 것을 이번에 실천

며칠 뒤엔 하루 날 잡아 모여 '발표 PPT'와 '최종 사업계획서'까지 완성했다. 이제 최종 발표만 하면 끝이다.

발표는 내가 한다고 했다. 첫 대외활동 때의 내 모습을 만회하고 싶었으니. 걱정과 불안이 많은 나는 대본을 만들어서 달달 외우기로 정했다(난 '암기충'이 맞는 듯하다). 마이크 대신 물병을 쥐고, 노트북에 사람들 얼굴을 띄워서 심사위원이라고 생각하고 말이 줄줄 튀어나올 때까지 반복, 반복, 또 반복. 남은 기간은 준비와 연습만이 정답이었다.

조금씩 바뀌는 두 번째 대학 생활

## (제4막) 대회 당일, 자취를 드러낸 언더독

대회 당일, 울산전시컨벤션센터. 첫 번째 팀 발표가 끝이 나고 다음 순서는 우리 팀. 무대 위에 섰다. 주사위는 던져진 상황. '후하…후하…후하' 심호흡하고 밑을 바라보니 그동안 노트북에 띄어놓았던 얼굴과는 비슷한 느낌의 얼굴들이 보였다. 심사위원이었다. 이번엔 나의 오른쪽을 보니 발표할 PPT가 띄어져 있었다. 그동안 연습하며 본 그 PPT였다. 이 상황이 조금은 익숙해서 그랬을까? 자신감이 차올랐다. 분명, 아까까진 떨려서 화장실에서 헛구역질까지 해댔는데. 그 후, 손톱 한 톨의 아쉬움도 들지 않는 발표를 했다.


잠시 후, 발표 끝물 Q&A 시간.
"정말 열정적이고 아주 패기가 넘칩니다", "발표내용에 굉장히 긍정적입니다", "발표하신 아이템이 이렇게 공개가 되었는데 빨리 특허에 대해서도 고민해봐야 할 것 같아요" 예상치 못한 극찬이 쏟아졌다.
물론, 사업계획서의 현실성이 조금 떨어진다는 얘기도 듣긴 들었다. 처음이니 부족한 부분이 있었나 보다. 그래도 직관적으로 느꼈다. 좋은 결과를 받을 거란걸.


뒤이은 시상식에서 우리 팀은 두 번째로 높은 상인 최우수상을 받는다. 1등, 대상은 실제 창업을 하고 있던 UNIST팀(지금의 '트립빌더'라는 소프트웨어 회사)이 받아갔다. 그들의 아이템(여행용 애플리케이션)과 우리 것의 수준 차이가 두드러졌단 걸 가정하면 어쩌면 당연한 결과였을지 모른다. 하지만 실제 창업동아리였던, 그리고 전공 지식을 활용한 고급 아이템을 발표한 팀들이 우리보다 아래에 있었다. 언더독이 반란을 일으킨 것이다!

이 이야기의 줄거리는 여기까지다. 그런데 잠깐. '열정적인 것도 알겠고, 열심히 하신 것도 알겠어요. 하지만 저는 아직까진 할 수 없을 것 같아요…'

대부분은 지금 눈빛이 바뀐 반면, 저런 생각이 드는 후배도 있을 수 있겠다. 알겠다. 비하인드 스토리까지 들려주겠다.

처음으로 돌아가 제일 먼저, 대회에 참가 신청했을 때! 울산대에서 두 팀을 뽑는데 과연 몇 팀이 지원했을까? 10팀? 15팀? 아니.

단, 3팀. 학교 곳곳에 현수막이 붙여져 있고 심지어 뉴스에도 나온 이 대회에 신청서를 넣은 팀은 단 3팀이었다. 경쟁률이 2대 1에도 미치지 못했다. 반대로 말하면, 대부분은 신청, 그 자체를 하지 않는다는 것이다. 세상에는 하려는 사람보다 하지 않으려는 사람이 훨씬 더 많다는 것을 이때 깨달았다.

하기만 한다면 이미 반은 먹고 들어가는 거다. 여기서 대충 하지 않고 열정까지 쏟아낸다면? 그럼 당신이 '언더독의 반란'의 주인공이 되는 것이다. 누구나 가능하다. 절대 남의 이야기가 아니다. 그러니 쫄지 말자. 먼저 반란을 일으킨 '선봉 주자'인 내가 하나 묻겠다. 아직도 두려워 머뭇거리고만 있는가?

조금씩 바뀌는 두 번째 대학 생활

*<<반란을 일으킨 언더독>>*

*[창업경진대회에서 최우수상을 받을 수 있었던 이유]*

1. 정보: 학교 홈페이지에서 대회 포스터를 봤다.

2. 참가: 진입장벽이 있어 보였지만, 친구들에게 "하자" 해서 우선은 대회에 참가했다.

3. 열정: 열정이 있다 보니 설문 조사를 했고 설문 결과 에 영감받아 혁신(?)에 성공했다.

4. 준비: 노트북에 띄어놓은 사람들 얼굴과 발표 PPT를 수없이 보며 준비 단계를 가졌다. Q&A 대비 또한 껀덕지가 안 잡힐 정도로 꼼꼼히 했다. 그로 인해 최고의 발표를 할 수 있었다.

### [아쉬운 점]

1. 대회가 끝이 나고 아이템에 특허를 내려고 모였다. 하지만 이미 최우수상을 받아 마음이 들떠 있었고 또, 특허 관련 정보를 몰라 흐지부지하며 끝이 났다. 다시 돌아간다면 해보고 싶다(교수님께 도움을 구해볼걸…ㅠ).

### [느낀 점]

1. 세상에는 하려는 사람보다 하지 않으려는 사람이 훨씬 많구나.

2. 여기서 하면 이미 50%는 먹고 들어가는구나.

3. 기왕 하는 거, 열정을 가지고 하니 상상치 못한 결과가 나타났네.

4. 대회에 나가 상 받는 것? 더 이상 남 얘기가 아니네.

조금씩 바뀌는 두 번째 대학 생활

## *내가 적은 한 문장을*
## *다시 봤더니*

"저… 이 프로그램 그만해도 괜찮을까요?" 한 프로그램에 참가했을 때 내가 담당자님께 했던 말이다. 그럼에도 그 끝은 울산대 '최초'로 네이버 홈쇼핑을 진행한 쇼호스트로 재탄생한다. 포기를 선언했던 한 학생의 반전 스토리! 지금 시작한다.

이번에도다. 학교 홈페이지가 참 내 대학 생활을 많이 바꿔주는 것 같다. 공지 사항에 올라와 있던 흥미로운 공고 하나.
바로, '라이브커머스* 마케터 양성과정 및 경진대회'. 프로그램을 간단하게 얘기하자면 아래와 같다.

학생들은 라이브커머스 관련 교육을 받음. 그러면서 두 개의 기업 중 한 곳을 선택. 선택한 기업의 제품을 공부함. 두 번의 평가 결과에 따라 기업마다 학생 한 명씩이 선발됨. 그

---

\* 라이브커머스(Live Commerce): 실시간 동영상 스트리밍을 통해 상품을 판매하는 온라인 채널로, 네이버 홈쇼핑이 한 예시이다.

럼, 그 학생은 네이버 홈쇼핑에 데뷔하여 공부한 제품을 실시간으로 판매할 수가 있음. 전문 쇼호스트와 함께.

솔깃했다. 쇼호스트로 네이버 홈쇼핑에 출연할 기회가 지금 아니면 또 언제 있으랴. 하지만 두려움도 가득했다. 새로운 도전에 겁이 많은 학생인지라.

신청할까 말까를 며칠간 고민하였고 드디어 결정 내렸다. '고민만 할 바엔 차라리 해보지 뭐'. 신청서를 작성해 그렇게 참가한다.

나를 포함한 여섯 명의 학생이 이 프로그램에 뽑혔다. 교육 내용은 크게 어렵진 않았다. 상품의 단점도 장점처럼 포장해서 잘 말하기, 무심결에 들어온 시청자도 잔류시간이 길어지면 구매까지 이어질 수도 있다는 점, 그러기 위해선 끊임없는 소통을 해줘야 하는 점, 댓글 단 분의 닉네임을 놓치지 말고 언급해 줘야 하는 점 등등. 뒤이어 기업과 제품을 선택하는 순간이 온다. 선택지는 두 가지였다.

마마포미의 '해초류 침구'
VS
뷰티인사이드의 '여성용 화장품'

기업 대표님들과 만난 이후, 화장품의 'ㅎ' 자도 모르던 나는 뷰티인사이드(여성용 화장품)를 선택했다.

'엥? 앞 문장 말이 안 맞는데요…?' 말이 맞지 않는 문장이 맞다. 화장품을 모르는데 화장품을 선택한다니! 사실은 이랬다. 뷰티인사이드 대표님이 참여한 학생과 프로그램 담당 선생님, 모두에게 잘 부탁드린다며 화장품을 공짜로 주시는 것이 아닌가. 감사한 나머지 한순간에 화장품으로 마음이 휙 바뀌었다(난

조금씩 바뀌는 두 번째 대학 생활

참 감동을 잘 받고 단순한 사람이다).

마마포미(해초류 침구)를 선택한 학생은 2명, 뷰티인사이드를 선택한 학생은 4명. 여성용 화장품의 경쟁률은 4:1이었다.

## 외면할 수 없었던 내가 적은 한 문장

경쟁률은 둘째치고 바로 화장품 공부를 시작했는데…. 이제껏 살면서 얼굴 타지 말라고 선크림만 발라봤기에 화장품, 그것도 여성용 화장품에 대해선 한평생 들어본 적 없었다. '파스톤 컬러가 뭔지. 글로시한 느낌? 매트한 화장? 뭔 말이야 도대체…!' 그래서 그런지 큰 문제가 생겼다.

내가 여성용 화장품에 관심이 없다는 것. 아니, 무슨 신바람이 생겨야 관심을 가져 공부하든가 하지. 관심 밖인지라 공부한답시고 미룬 날이 한두 번이 아니었다. 그냥 침구류를 선택할걸. 후회되었다. 설상가상으로 1차 평가 날이 다가오는 와중에 집 분위기 또한 좋지 못했다(동생과 엄마가 크게 싸웠고 엄마는 낮과 밤 구분 없이 집에서 술만 마셨다).

이런 상황 속, 도무지 웃으며 평가를 준비할 자신이 없었다. 네이버 홈쇼핑 상, 미소는 필수인데! 당신이라면 어떻게 대처하겠는가.

소인배인 난 결정 내렸다. 지금 하는 이 프로그램을 포기하기로. 그만하기로. 가뜩이나 제품 공부하랴 평가 준비하랴 머리 아픈데 집 분위기까지 이러하니 못하겠는 걸 어떡하나. 그렇게 결정을 내린 뒤, 담당자님께 전화 걸어 집안 사정이 좋지 않아 여기까지

하고 싶다고 말씀드렸고 이 말을 들은 담당자님은 힘들면 끝까지 안 해도 된다고 그랬다. 그제야 마음이 조금 홀가분해졌다.

더는 내가 프로그램에 참여를 안 해도 되는 상황. 방으로 돌아와 켜져 있는 노트북을 끄려는데 '라이브커머스 마케터 양성과정 및 경진대회' 참가 신청서 파일, 이것이 바탕화면에 보였다. '이젠 끝났는데 뭘' 지우려고 휴지통으로 마우스를 갖다 대는 순간, 무슨 바람이 불었는지 '내가 뭐라고 작성했지?'라는 생각이 스쳐 지나갔다. 클릭했다. 다시 읽다 보니… 밑에는 이런 문장이 적혀있던 게 아닌가.

"저만의 도전 정신과 비타민 같은 긍정적인 에너지를 이번 대회를 통해 최선을 다해 발휘하고 싶고 또 약속드립니다"

| ▣ 지원동기 | 저는 현재 마케팅 전공도 아니고 마케팅에 대해서 잘 아는 것이 없는 학생입니다. 하지만, 이번 2021 디지털 커머스 마케터 양성과정 및 경진대회를 통해 라이브 커머스 수익/정산/마케팅 교육을 받고 현재 대한민국의 마케팅 전략과 강점에 대해서 알아보고 싶습니다. 또 실전 상품 프리젠테이션, 라이브 방송 진행 경험을 통해 제 자신이 한층 더 성장하고 싶다는 욕심도 가지고 있습니다. 저만의 도전정신과 비타민 같은 긍정적인 에너지를 이번 대회를 통해 최선을 다해 발휘하고 싶고 또 약속드립니다. 후회 없는 경험을 하고 싶고 후회 없는 결과를 만들고 싶습니다. 마지막으로 본 프로그램의 일정을 모두 숙지하였고 모든 일정에 참석 가능하다는 점 또한 약속드립니다. |
| --- | --- |

쭉 읽어보니 내가 거짓말쟁이가 된 듯한 생각이 점차 들었다. 최선을 다하기는커녕 포기해서 약속을 지키지 않은 거짓말쟁이. 차라리 저 말을 쓰지 않았더라면 홀가분하게 신청서를 삭제라도 했을 텐데… 내가 적은 한 문장을 쉽사리 무시할 수 없었다. 여러 번 곱씹어 봤고 곧 마음을 다잡았다.

'그래, 네이버 홈쇼핑에 꼭 데뷔하는 게 아니더라도 그냥 내가 할 수 있는 만큼 최선을 다해보자. 내가 저 때 저렇게 마음먹었었잖아?'

조금씩 바뀌는 두 번째 대학 생활

내가 적은 글을 다시 보고는 '아, 그때 그런 마음가짐으로 지원했구나'라고 회상할 수 있었다.

## 이번에도 '열정'이 답이었다

다음 날 오전, 곧장 집 앞 카페로 갔다. 가방에서 화장품들을 꺼내고, 핸드폰 카메라는 셀카 모드로 해놓고는 홈쇼핑 쇼호스트를 보며 똑같이 따라 해 봤다. 나중엔 의욕이 생겨 POP*도 만들고자 했다. 실제로 만들 능력이 안 되는 난 어떻게 했냐. 화장품 특징과 사진이 담긴 파워포인트 슬라이드를 만들었다. 총 3장. 그것들을 프린트하고는 쫄대 파일에 넣어 나무젓가락을 꽂아 나만의 POP를 만들었다. 이렇게 열정을 발휘해 보았다.

<내가 만든 나만의 POP>

---

\* POP : 고객들의 시선을 사로잡도록 만든 방송용 손판넬(손피켓)

며칠 후, 1차 평가 시간. 가방 지퍼를 열어 내가 만든 POP를 주섬주섬 꺼냈다. POP를 보고는 평가해 줄 담당자님과 쇼호스트님이 놀라는 게 아닌가. 열정이 대단하다는 표현과 함께. 다른 학생들도 이렇게 할 것 같았는데, 나뿐이었다.

## 개인이 각자 잘하는 것에 준비까지 더해진다면?

심호흡 한 번 하고 평가 장소로 들어갔다. 3··· 2···1··· 시작됐다! 그로부터 15분 후. 앞을 보니 평가자 두 분이 다시 한번 놀래며 나를 쳐다보고 있었다. 두 분이 동시에 "와~~ 대박이다. 진짜 대박이다"라고 입을 여셨다.

제품 설명이 조금 약하고 말이 빠르다는 평가도 있었지만, 분위기는 분명 나로 인해 과열되어 있었다. 내가 어떻게 했냐. 이랬다.

*"여러분 안녕하쎄용~~~ 이동훈 쇼호스트입니다 ><. 오늘 이렇게 많은 분들과 함께 하니 기분이 너무 좋아 노래 한 곡 부르고 시작할게요~. PD님 말리지 마세요!! 그냥 대본대로 안하고 저 지금 부를 거예요. (좋아좋아 -조정석- 열창) (뒤이어 브랜드 소개) 여성분들, 카톡 다들 하시죠? 여러분, 카톡을 넘어서 이제는 저희 제품브랜드인 TINTALK으로 넘어 오셔야 해요~~. 빨리 빨리 넘어 오세용!!!"*

그때 대본을 보며 글을 쓰고 있는데 부끄럽···. 어쨌든, 사람마다 태생적으로 잘하는 것이 최소 하나씩 있는데 나에게도 그 하나가 있었다.

얼굴에 철판 깔아 쌩쑈를 하는 것이다. 여기다가 준비까지 더해지니 남달랐나 보다. 깜짝 놀란 담당자님. 잠깐 나가서 얘기하자며 내 손 잡고 급히 밖으로 나가셨다.

"학생, 진짜 안 할 거야? 너무 잘해서 깜짝 놀랐잖아" 이 말 듣고는 자신감이 생긴 나머지 끝까지 참여하겠다는 의지를 담당자님께 전했다. 지금에야 말하지만 사실, 네이버 홈쇼핑에 데뷔할 사람이 내가 될 것 같다는 느낌을 이때 받았다.

이후, 화장품 영상을 볼 때마다 들은 여러 멘트를 혹여나 까먹을까 필사하기 시작했다. 노력을 기울였다. 그러다 이번에도 어김없이 나타난 어려운 화장품 용어들. 전문가의 도움이 필요하다고 느껴져, 모르겠는 것들은 모아놨다가 몇 없는 주변 여사친들을 총동원해 물어봤다.


어느덧, 2차 평가 당일. 이번에도 호탕하게 웃으며 평가에 임했다. 제품 공부를 열심히 한 모습에 더더욱 발전되었다는 표현이 들렸다. 그렇게 2차 평가까지 모두 끝이 나고, 최종 1인은 나중에 카톡으로 공지된다고 그랬다. 그날 저녁 7시 11분, 핸드폰에 울리는 소리. 카톡, 카톡, 카톡. 헉!

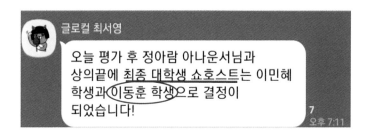

여성용 화장품의 최종 1인으로 내가 선발된 것이다. 다른 말로는 네이버 홈쇼핑에 데뷔하게 됐다는 의미다.

그로부터 13일 뒤인, 12월 8일 수요일. 나는 대학생이 아니었다. 그날 하루는 쇼호스트였다. 부산에 위치한 한 스튜디오에서 노력의 결실을 맺는다.


얘기가 조금 길었던 것 같은데 잠깐 정리해 보자. 화장품의 'ㅎ' 자도 모르는 학생이 어느 날 화장품 공부를 하게 되었다. 관심 없던 공부라 힘들어했다. 더군다나 집 분위기 또한 말이 아니었다. 버틸 수가 없어 그만한다고 했다. 하지만 처음에 썼던 참가 신청서의 한 문장을 읽고는 마음을 다잡았다. 그 후로 열심히 했다. 열정적으로 했다. 신청서에 적은 약속을 지켰다. 그랬더니 결국, 가슴 속에 '네이버 홈쇼핑'이라는 새로운 점을 새길 수가 있었다.

이 특별한 점을 새길 수 있었던 가장 큰 이유는 뭐였을까? 열심히 평가를 준비한 것이 중요했을 거다. 또, 그에 따른 열정도 중요했을 거다. 하지만 더 중요한 것이 있다. 난 이렇게 생각한다.


힘든 순간이 오면 내가 이것을 왜 시작했는지를 돌이켜 보는 것, 이것이 너무나 중요하다. 처음의 의지를 마음속에 지키자. 그리고 끝까지 지켰으면 한다.

그때, 내가 썼던 한 문장을 다시 본 덕에
중요한 사실을 깨닫게 됐네.

# 쇼호스트 소개

울산대학교 학생들이 쇼호스트로 최초 출연!

모든 기회를 경험으로, 경험을 실
력으로 녹여내겠습니다!

이동훈 전기공학전공

공대생이라서 인하는게, 못하는게
아니라 더 잘할 수 있습니다!

12:35

5G

쇼핑 LIVE

IZ*ONE 채연이 픽한 '뷰티인사이드'…
LIVE 뷰런보부상 · ▷180 ♡220

뷰티크 │ 립블러시 백영 대박이다 ㅋㅋㅋㅋ
ynn 부모님이랑 이동생한테 주면 좋겠네요
조련흔 우와 완전 퍼주는거 아니에요?
Coin J 이벤트 상품이 되게 괜찮아네요
jgh 남는게 있나요 ㄷㄷㄷ
max9534 동훈이싸랑행ㅋ
뷰티인사이드의 첫 촬칠 라이브 방송! 놀라운 특가를
준비했어요 😄 많은 사랑 부탁드려요 💜

쇼핑라이브 알림받기하면 N 100P 즉시 지급 ✕

특가 │ 틴톡 타투 슬림 젤 아이라이너
34% 4,500원

## *[네이버 홈쇼핑을 진행할 수 있었던 이유]*

1. 정보: 이번에도다. 어김없이 학교 홈페이지에서 관련 포스터를 봤다.

2. 참가: 새로운 도전이 두려웠다. 하지만 '할까? 말까?' 고민 끝에 참가했다.

3. 초심: 중간에 힘들어 그만한다고도 했지만, 내가 썼던 참가 신청서를 읽었고 처음 그 각오를 떠올렸다.

4. 열정: 시키지도 않은 POP를 유일하게 준비했다(열심히 했다). 이것 또한 평가에 가산점이 된 듯하다.

5. 잘하는 것 + 준비: '얼굴에 철판 끼는 것'을 잘한다고 자만하지 않았고 만반의 준비를 해갔다. 더 잘할 수 있도록!

## *[느낀 점]*

1. 잘하는 것에 준비까지 더해지면 이것은 엄청난 무기가 될 수 있구나.

2. 힘든 순간이 오면 내가 이것을 왜 한다 했는지를 다시 한번 생각해야겠어.

조금씩 바뀌는 두 번째 대학 생활

## 후회 대신
## 남은 아쉬움

앞의 3가지 활동(로컬 스타트업 캠프, 창업 대회, 네이버 홈쇼핑)을 하니 알 수 있었다.

책에 코를 박고 학과공부만 하는 게 대학 생활의 전부가 아니라는 걸 말이다. 책상 앞은 좁았고 밖은 넓었다. 클래스가 다른 성취도 수차례 맛봤다. 무엇보다 대외활동을 막고 있던 마음속 거대한 벽이 허물어졌다.

그런데도 중도 휴학이 끝나갈 즈음엔 갈팡질팡했다. 지금부터 새롭게 펼쳐질 것 같은 대학 생활에 어떤 엔진을 달아야 하나. 확실한 건 나중에 뒤돌아볼 때 후회할 행동은 하기 싫었다. 이제 2학년인 나. 조언이 필요했다. 그래서 졸업한 선배 한 분('G형'이라고 칭하겠다)에게 무턱대고 연락드린다. 나보다 다섯 살 많고 '현대000'라는 대기업에 다니고 있던 G형. 번호만 있고 친하진 않았던 G형. 형은 흔쾌히 만나자 했고 그렇게 여러 얘기를 듣는다.

G형은 대학생 때 공부면 공부, 연애면 연애, 공모전이면 공모전… 또 미국에 교환학생으로 간 적도 있었다. 얼핏 보면 완벽해 보이는 형이었는데 그런 형도 후회되는 하나가 있다 그랬다. 이 글을 읽고 있는 후배들의 눈빛이 반짝거리고 있는 게 느껴진다. 엄청 거창한 건 아니다.

그것은 다름 아닌 대학생 때 동아리에 가입해보지 않은 것이었다. 대학생이라면 한번은 한다는 동아리 활동을 멀리한 것이 후회된다고 그랬다. 회사 다니면 동아리 같은 건 없다고! '동아리라…' 그 자리에서 동아리에 가입하겠다고 마음먹었다.

그날 이후, 난 '동아리'라는 세글자를 뇌리에 박아놨다. 두렵게 느껴지는 그 글자를 자꾸 생각하면 어느 순간 진입장벽이 낮춰진다는 느낌을 받거든. 실제로 얼마 지나지 않아 동아리에 지원했고 가입할 수 있었다.

나의 첫 동아리는 바로 울산대 국제교류동아리 <HOW.U>. 학교 외국인 유학생을 대상으로 프로그램을 기획하고 운영하는 동아리였다. 곧이어 전과는 다른 대학 생활이 펼쳐졌다!

혹시 자세한 동아리 얘기를 지금 기대하고 있는 우리 후배가 있으면 너무 미안하다. 며칠 걸려 스토리를 다 쓰긴 했지만, 이번 주제와는 벗어나기에 빼기로 정했다. 그래도 혹시나 궁금해할 후배가 있을 수도 있으니 이야기 끝에 짧게나마 부록으로 달아놓겠다.

다시 이야기로 돌아가서, 동아리 활동을 하니 이전에 가지지

조금씩 바뀌는 두 번째 대학 생활

못했던 세 가지를 얻었다.

**첫 번째,** 이성과의 대화이다. 동아리에서 '오빠'라는 말을 난 생처음 들어봤다. 친구들이 짓는 미소와 별반 다르지 않은 미소를 여자 후배들이 짓자 처음엔 어버버버…(이제껏 남고, 공대, 군대를 경험한 나였다). 그렇지만 동아리를 8개월간 했더니 이성과 얘기 주고받는 것이 자연스레 익숙해졌고 지금은 여자와 말 못 하는 내 모습과는 이혼했다.


**두 번째,** 소속감이다. 학교 안을 걷다 보면 동아리원들이 자주 보이는데, 서로 반갑게 손 흔들며 인사를 주고받는다. 그럼 왠지 모르게 기분이 좋아진다. 회의든 프로그램 운영이든 이것저것 같이하기도 했다. 놀기도 많이 놀았고. 자칫 쓸쓸할 수도 있었던 학교생활이 시끌벅적하게 채워졌다. 외로울 틈이 없었다.


**마지막 세 번째,** 새로운 무기이다. 한번은 동아리 업무로 블로그에 글을 업로드 할 일이 생겼다. 이때 블로그를 처음 접했는데 그때를 계기로 현재 블로그를 운영하는 중이다. '블로그'라는 무기가 장착된 것이다.

또 한번은 동아리 행사 MC를 맡은 적 있는데, 그것이 경력이 되어 얼마 전, 한 과학영재교육원의 입학식 사회자로 선정되기도 했다. '색다른 경험'이라는 무기가 장착된 것이다.

마지막으로, 넓진 않지만 언제 연락해도 어색하지 않은 '인적 네트워크'까지 장착되었다. 학기 시작할 때마다 밥을 함께 먹는 교직원 선생님도.

얻은 것은 이렇게나 많다. 그러나 그때 그 동아리를 선택했었던 판단에 대한 점수는 40점이다. 조금 유치하지만, 뾰족한 정확도를 위해 점수로 표현해봤다.

'아니, 고작 40점이라니?' 이 글을 읽고 있는 후배들의 눈빛이 이번엔 예사롭지 않은 것이 느껴진다. 마음먹은 걸 해봤으니 후회는 없었다. 다만, 아쉬운 것이 있다. 무언가를 하다 보면 아쉬운 게 생기기 마련이지만 지금까지도 크게 느껴지는 아쉬움이랄까.

그때가 마냥 재미있고 즐겁지가 않았다는 것이다. 사실, 난 취업에 조금이라도 도움이 되기 위해 그 동아리에 들어갔었다. 운영부라는 부서에서 기획서 쓰고, 예산 관리를 하고, 회의록을 쓰는 등등. 자기소개서에 담기엔 괜찮은 활동이었지 내가 진정으로 하고 싶었던 활동은 아니었다. 재미가 없었다. 그런데도 깊숙하게 열심히 했다. 그래서 40점이다.

혹시라도 타임머신이 있어 뒷걸음질해 과거의 어느 한 시점으로 돌아가 본다. 학교생활에 조금이라도 여유가 있다고 가정해본다. 그럼 진정으로 하고 싶은 동아리에 꼭 한번은 가입해볼 듯하다. 춤이든, 탁구든, 밴드든, 연극이든. 그다음에 취업에 도움이 될 만한 동아리든 어디든 들어갈 것이다. 늦지 않으니까!


하고 싶은 활동이 아닌 해야 하는 활동을 하니 아쉬움이 남고야 말았다. 예컨대 입고 싶은 옷을 입어야 즐겁지, 입어야 해서 입는 옷이라면 그런 기분을 못 느끼는 것처럼.

후배들아, G형이 말한 후회를 이번엔 나의 아쉬움으로 너희에게 전하는 것 같네.


조금씩 바뀌는 두 번째 대학 생활

## [일화]

1. 동아리에서 만난 학생들끼리 연애를 많이 한다. 혹시 당신이 연애가 하고 싶다면? 동아리의 문은 항상 열려있다.^^

2. 다양한 학과의 사람들을 만나 그들의 관점을 배울 수 있었다.
(한번은 프랑스학과, 스페인학과, 중국어학과 학생과 함께 논 적이 있다. 그들은 "스페인 너무 좋았어. 몇 개월 동안 살았는데 또 가고 싶어. 너 프랑스의 파리 가봤어?" "어어, 가봤지! 대박이던데. 아직도 잊혀지지 않아." "우리 나중에 함께 갈래?" "좋아!"
해외여행 한 번 간 적 없고 학점, 자격증 얘기만 하던 사람은 이날 할 말이 없었다. 그들의 세계를 꼭 경험해보리라!)

3. 많은 외국인 유학생을 만났다. 겉으로는 밝게 보이던 그들이었는데 속 얘기를 들어보니 마냥 그렇지만은 않았다. 한국 음식이 입맛에 맞지 않아 집에서 자기 나라 음식을 해 먹는다고 했다. 고향이 너무 그립다고도…. 그래도 그들은 누구보다 멋져 보였다. 제 발로 타국에 가서 생활한다는 것 자체가 자기 인생을 더 다채롭게 만들고 있다는 증거이니까 말이다.

4. 토익 870점이라는 점수가 있다고 해도 외국인 앞에서는 영어가 입 밖으로 나오질 않았다. 매번 머릿속이 하얘질 뿐. 토익 점수와 영어 회화 실력이 비례하는 건 아니었다.

5. 다들 술만 마시면 꼭 마지막에는 '인생 네 컷' 사진을 찍는다. 그 덕에 평생 써먹을 다양한 포즈를 습득했다!

*재밌게 놀았는데*
*통장에 돈이 들어왔네!*

"40,000원이 입금되었습니다"

아마 당신을 포함해 모두가 정말이지 즐겁게 돈을 벌고 싶어할 것이다. 생각만으로도 설레지 않은가. 하지만 주위를 둘러보면 그런 사람이 많지는 않을 것이다. 오히려 돈을 벌기 위해 이리저리 고생하는 사람을 꽤나 볼 수 있지 싶다.

이렇듯 급여라는 건 사람이 '일'을 하면 그에 따라 주어지는 보수이며, 여기서 '일'이란 '즐거움이 없는 노동'이라고 알고 있었다. 적어도 이 40,000원이 입금되기 전까지는.

## 공부보다 더 중요한 공부

학교 홈페이지를 보다 보면 눈이 커지는 순간들이 많다. 번쩍. 이번에도다. 이번엔 공지사항 게시판이 아닌 문수 게시판에

조금씩 바뀌는 두 번째 대학 생활

한 소식이 올라왔다(참고로 문수 게시판은 학교 ID가 있기만 하면 누구나 아르바이트, 채용, 봉사활동 등 교외 정보를 올릴 수 있는 공간이다).

'5월 24일 XX고등학교 강의 멘토 모집'. 고등학교 교실로 가서 자신의 학과 관련 강의를 할 대학생을 모집한다는 내용이었다. 선착순이었다! 우리 집에서 걸어서 15분 거리에 위치한 XX고등학교. 핸드폰을 바로 꺼내 대학 수업과 고등학교 강의 시간대가 겹치는지 확인해보니. 아… 완전히 겹쳤다. 한숨이 푹 나왔다. 그래도 별수 있겠는가? 대학교 수업과 겹친다는데. 그럼에도 체념하기 싫었다. 다음 날을 맞이했다.


해는 바뀌었지만, 내 마음은 좀처럼 바뀌지 않았다. 어김없이 교수님 수업 들으며 앞에 칠판을 쳐다보는데… 머릿속으로는 고등학교에서 학생들과 수업하는 모습이 피어올랐다. 물론 해본 적 없는 경험이라 겁도 났지만, 그보다는 즐겁게 학생들과 시간 보내고 싶다는 마음이 훨씬 강했다. 곧이어 확신이 섰다. '이건 안 하면 무조건 후회한다'


선착순으로 대학생 강사를 받고 있던지라 수업 출석을 못한다 할지라도 서둘러 신청부터 했다. 후회하기 싫었다. 그리고 XX고등학교 강의 하루 전, 지푸라기라도 잡는 심정으로 그 시간대에 수업하시는 교수님께 장문의 메시지를 보내며 출석 관련 문의를 드렸다. 11시간 후, 온 교수님의 답장.


"잘 다녀오세요. 출석에 지장 없습니다" 다행히 출석 처리를 해주신다는 답장이었다. 그는 교수님 아니 천사님이었다. 다시 말하면 이제 마음 편하게 강의할 수 있게 됐다 이거다! 여기까지 글을 읽은 우리 후배가 한 가지 물어볼 수도 있겠다.

"동훈 씨, 아무리 그래도 수업을 빼고 다른 활동하러 가는 건 무책임한 행동 아닌가요?" 글쎄. 대학생이라면 수업 시간에 빠짐없이 수업 들어야 한다는 사고방식이 이번 활동을 다녀온 이후 난 깨져 버렸다. 대신, 이제는 이렇게 말할 수 있겠다.

공부보다 중요한 것을 공부하는 게 중요하다. 지금 대학생인 당신. 출석 처리가 설령 안 된다 할지라도 값진 경험을 할 순간이 있으면 수업하시는 교수님께 죄송하지만, 하루만 등을 돌려라. 어떤 기회가 코앞에 놓여있을지 모르니까.

## 선물 같은 순간

학교 수업을 합법적으로(?) 빠지고 고등학교에 잘 도착했다. 담당자님으로부터 간단한 사전 교육을 받은 뒤에 학생들이 있는 교실로 발걸음을 옮겼다. 5, 6교시 간 내가 맡은 반은 1학년 1반과 2반, 총 두 개의 반.

교실 앞문을 열었다. 몇몇 학생들이 뛰어다니며 "안녕하세요"라고 크게 인사를 해주었다. "어… 안, 안녕" 갑작스러워 어색하게나마 인사를 주고받고. 교실 TV에 강의 PPT를 띄우니… 잠시 후, 울리는 수업 시간 종소리. 뛰어다니던 학생들이 자리에 하나둘 앉기 시작했고 교실 앞 교탁에 서 있는 내게 시선이 모이기 시작했다. 말은 하지 않았지만, 낯선 시선들에 긴장한 기색이 역력했다. 그렇지만 아이들의 순수한 눈동자에는 사람의 입을 열게 만드는 묘한 매력이 있었다.

조금씩 바뀌는 두 번째 대학 생활

"애들아 안녕~" "안녕하세요!!" 쩌렁쩌렁 대답하는 학생들. 남고다웠다. 제일 먼저 '울산대학교를 너무나 사랑하는 대학생'이라고 적힌 PPT 슬라이드를 보여주며, 있는 그대로 나를 소개했다(난 나의 학교를 참 좋아한다).

강의 내용으로는 울산대학교에 덧붙여 학과(전기전자공학, 산업경영공학부)를 소개해주었는데 시간이 흐를수록 다들 와르르 웃음을 터트리는 게 아닌가. 분명 재밌는 주제가 아닌데 학생들이 왜 웃는 걸까? 그 이유는 24살의 이동훈이 아닌, 고등학교 시절의 이동훈이 복원되어 학생들 앞에 나타났기 때문이다.

능청스러운 연기, 웃긴 표정과 제스처를 섞어가며 얘기했더니 분위기는 학생들의 웃음소리로 들썩였다. 덩달아 나도 웃음이 나왔다. 게다가 정말이지 재미있었다!

강의가 막바지에 향할 즈음에는 학생들에게 나중에 울산대 오면 연락하라고 내 인스타 아이디를 알려줬는데 약 20명의 팔로워가 한 번에 쏟아졌다. 숨 쉬는 걸 넘어 이때 살아있음을 느꼈달까. 쉬는 시간에는 가장 힘 쎈 학생과 불꽃 튀는 팔씨름 대결을 펼치기까지. 학생들의 반응은 그야말로 폭발적. 재밌는 선생님이 있다고 소문이 났는지 다른 반 학생들이 날 보러 찾아오기도 했다. 이번엔 모공 하나하나까지 살아있음을 느꼈다. 곧이어 종이 치고 다음 강의도 순조롭게 진행했다.

강의를 모두 잘 끝냈다! 기분 좋은 피로감을 가진 채 복도를 빠져나가는데 몇몇 학생이 졸졸 따라와 간식을 주기도 했다. 때 묻지 않은 학생들의 순수함은 나를 행복한 사람으로 만들어주었다.

에너지를 다 쏟아내어 집에 가자마자 양말도 벗지 않은 채 소파에 드러누웠다. 눈을 멀뚱멀뚱 뜨고 천장을 바라보았다. '잠시만, 나 지금 너무 행복한데…' 소파에서 벌떡 일어나 노트북을 꺼내 강의했던 PPT를 다시 보았다. 인스타도 다시 확인했다. 한여름 밤의 꿈만 같던 현실 세계였다.

그러고는 통장에 강의비 40,000원이 꽂힌다. 분명 선물 같은 순간을 보냈는데 통장에 돈이 들어오다니. 혹시 적성이란 게 이런 것이지 않을까?

## 뻔한 말이지만 일단 해봐야 아는 거 아니겠어?

힘든 노동 없이 학생들과 즐겁게 놀았는데 급여를 받은 경험. 천장을 바라보며 행복하다고 느낀 경험. 한 번의 우연인지 혹은 정말 적성에 맞았는지는 두고 볼 일이다. 하지만 여기서 중요한 점은 상황을 탓하지 않고 해보고 싶은 걸 해봄으로써 직접 피부로 느꼈다는 것이다. 그래서 적성인지 아닌지를 고민할 기회가 나에게 주어졌다는 점이다.

혹시 해보고 싶은 무언가가 마음속에 있는가? 그렇다면 상황은 둘째치고 일단은 해봤으면 한다. 그리고 '적성인가?'를 판단할 수 있는 찬스, 그 기회를 당신에게 줘라. 적어도 우리에겐 그럴 권리가 있다.

반창 영현이

오늘 6교시동안 많은 선생님들을
만났었는데,
쌤 수업 진짜 알차고 재밌었던 것
같아요♥
특히 선생님 목소리랑 긍정에너지(?)가
진짜
본받고 싶을 정도로 좋았구 수업내용도
학과에서 끝나는게 아닌 대학교 꿀팁들과
함께여서 더 좋았어요!! 제가 이과계열은
아니여서 많이 여쭈어 볼 일은 없겠지만
혹시나 생기면 꼭꼭 연락할께요👋 오늘
너무너무 수고하셨구 쌤도 어딜가서나
항상 행복하시길 바래요♥

오후 10:32

## 이것만 기억해주세요!!

1. 관심있는 전공이 생기면 용기내서 해당 대학교,학부장님과
   상담해보기!

2. 남들의 말은 참고만 하되 본인이 꼭 전공 선택하기!!

3. 전공이 맞지않는 순간 불행 시작!

4. 전공을 바꿀수있는 기회는 무조건 있다(1학년 중요!)
   EX) 전과, 편입 : 할 사람은 다 함

적어도..!

**3.5**

대학교 1학년 이수 후 군대를 가면 남는건 학점밖에 없습
니다. 제대 후 더 멋진 삶을 살아가는데 있어서 무조건
후회하지 않을겁니다.

피시방빼고 하고싶은 모든 활동을 다 해보세요.
ex) 동아리, 술자리, 소개팅, 운동 등등
원치 않은 경험에도 다 '배움' 이 있습니다.

점과 점이 만나 선이 되고 여러분의 미래가 됩니다.

## 왕좌에 올라 왕관을 쓰다

"데일 카네기 코스 수료증은 내가 받은 것 중 가장 중요한 수료증이다" 미국의 전설적인 투자자, 워런 버핏이 한 말이다. 난 이 말 뒤에 숨겨진 말이 있다고 생각한다. "당신도 꼭 데일 카네기 코스를 들어보시오". 워런 버핏 할아버지가 극찬하셨던 이것을 내가 해보는 날이 온다.

　이번에도 어김없이 학교 홈페이지에서……. 잠시만. '아, 학교 홈페이지 좀 그만 말하세요'라며 지겨워하려는 후배들이 있는 것 같다. 알겠다. 이번이 학교 홈페이지를 통해 신청한 대외 활동의 마지막 이야기다. 이쯤 되면 당신의 뇌에 '학교 홈페이지'라는 단어가 세뇌되었을 거라 믿는다. 그럼 이 책의 절반은 성공한 셈이다. 그만큼 학교 홈페이지를 자주 보는 게 대학 생활을 다채롭게 해주는 방법이라는 걸 말해주고 싶었다.

　공지사항에 '데일 카네기 리더십 인성교육 참가자 모집'이라는 글이 올라와 있었다. 다섯 곳의 대학교, 대학생들을 대상으로 '선착순'으로 참가자를 받고 있던 이 프로그램. 1초의 고민 없이 바로 신청했다. 겁쟁이인 사람이 웬일이냐고? 그러게. 이번엔 유일하게 겁먹지 않고, 또 고민도 하지 않은 것 같다.

사실, 이 프로그램에 대해 들은 게 좀 있거든. 한번은 뉴스 기사를 보는데 모교 신정고등학교에서 1,800만 원을 지원받아 이 교육을 운영하고 있다는 사실을 알게 되었다. 놀랐다. 그리고 한 번 더 놀란다. 알고 보니 교육비가 인당 최소 130만 원이나 달했기 때문이다. 이런 초고가의 프로그램을 대학교에서 지원해줘 방학 때 무료로 들을 수가 있는데, 신청 안 할 이유가 없지 않은가. 학교 홈페이지의 아들인 나는 여유롭게 선착순 안에 들었다.

## 단언컨대 가장 기억에 남는 학교 프로그램

총 8회에 걸쳐 진행되는 데일 카네기 코스. 첫날에 교육 장소에 도착하니 '오우야'. 책상 하나 보이지 않았다. 여쭤보니 앞에서 스피치를 할 것이기 때문에 책상이 필요 없다는 것이다. 신선했다. 의자만 덩그러니 놓여있었을 뿐. 몇 분 후, 교육 시간이 되자 강사님이 크게 외치셨다.

"본 코스에 참여한 여러분들은 엄청난 행운입니다. 프로그램이 끝나면 알 수가 있을 겁니다!" '오, 행운이라고?' 나를 포함한 모두의 눈이 말똥말똥해졌다. 뒤이어 데일 카네기 코스의 전체적인 흐름을 들었다. 다음과 같다.

학생들은 교육 때 배운 '이론'을 다음 시간까지 행동으로 '실천'해옴. 이것이 과제. 과제는 매번 있음. 해온 과제를 한 명도 빠짐없이 다음 시간에 발표하는데, 가장 인상 깊게 발표한 두 명에게 '도전상', '성취상', '인간관계상', '진보상' 중 하나를 수여함(학생들의 투표로 인해 수상자가 결정됨). 그러고 대망의 마지막 수료식 날! 딱 한 명에게 'MVP Award(데일 카네기 코스에서 가장 명예로운 상)'가 수여됨. MVP 상 역시 투표로 선정.

첫날, 교육이 끝나고 눈 깜짝할 사이에 4주가 흘러갔다. 교육에서 배운 내용들은 간단하면서도 실생활에 바로바로 써먹을 수 있는 것들이었다. 상대의 잘못을 간접적으로 알게 하라는 것. 아주 작은 진전에도 칭찬을 아끼지 말라는 것. 상대로부터 친밀감을 느끼게 하려면 이름을 잘 기억하고 불러줘야 한다는 것. 내가 아닌 상대 쪽 관심사에 관한 얘기를 하라는 것 등등.

하물며 이제껏 참가한 학교 프로그램 중 가장 마음이 따뜻했던 프로그램이 무엇이었냐고 내게 물으면, 난 이 데일 카네기 코스 교육이었다고 망설임 없이 말할 것이다. 한명 한명이 발표하러 앞에 설 때마다 모두가 발표자의 이름을 연호하고, 끝이 나면 발표자를 향해 뜨거운 박수를 쏟아내는 프로그램이었으므로, 이때 나의 자신감이 사상 최고치를 기록하였다.

매번 내 이름을 사람들이 큰 소리로 불러주고, 뜨거운 박수갈채를 보내주다니. 세상에 이런 따뜻한 프로그램을 또 할 수가 있을까. 나라는 존재가 근사하게 느껴졌다. 4주 동안 행복했다. "지금 행복하니?"라고 누가 물으면 당당하게 "응. 너무 행복해"라고 답할 정도로 온종일 기분이 좋았던 것 같다.

## 소심한 사람만이 가지고 있는 치트키

그래, 소심한 사람에게는 이 프로그램을 적극적으로 참여한다는 게 반가운 일은 아닐 거다. 발표를 매번 해야 하니 어쩌

조금씩 바뀌는 두 번째 대학 생활

면 그럴지도 모르겠다. 하지만 이들은 남들이 가질 수 없는 엄청난 치트키를 하나 가지고 있다. 소심한 사람만이 가질 수 있는 치트키.

한번은 내가 기가 막히게 발표를 한 적이 있다. 반응이 좋았기에 그날 '도전상'을 노려볼 만했다. 그런데.

평소 마지막 즈음에 소심하게 발표하던 한 학생('동생 S'라고 칭하겠다)이 그날 무슨 바람이 불었는지는 모르겠지만, 자진해서 앞 순서에서 발표했다. 앞에 나와서는 눈 딱 감고 큰 목소리로 당당하게 자신의 이야기를 풀어내는 것이 아닌가. 그 순간, 모든 학생이 뒤집어진 채 환장했다. 열광의 도가니였다. 동생 S는 부끄러웠는지 빠른 걸음으로 자신의 의자 쪽으로 돌아갔다. 그날, '도전상'은 내가 아닌 동생 S에게로 향했다.

이뿐만이 아니다. 소심한 이들이 손을 먼저 들어 당당하게 발표한 날이 더러 있었는데 그럼 그날 상은 모두 그들이 받아갔다. 그들은 그들의 가장 큰 무기인 '한방으로 뒤집기'라는 치트키로 상을 타간 것이다.


그런데 이 치트키를 사용하기 위해서는 한 가지 전제 조건이 필요하다. 할까 말까 고민하는 순간, 하겠다는 '과감함'이 필요하다는 것. 분명 많은 두려움을 동반할 것이다. 하지만 당신이 겁먹은 마음의 벽을 허물고 번쩍 손들어 먼저 발표만 한다면 승기를 갖게 된다. 뒤이어 당당하게 얘기까지 해버리면 사실상 게임 끝이다. 사람들은 반란을 일으키는 언더독에 크게 매료되는 법이니까.

*'한방으로 뒤집기'* 치트키를 사용하고 상을 받은 동생 *S*

## 왕관을 쓰는 법

앞서 '한방으로 뒤집기'라는 치트키에 관한 얘기를 했다. 이번에는 승부에서 이겨 왕관을 쓰는 법에 대해 말하고자 한다 (사실, 난 그렇게 승부를 좋아하는 편은 아니다…. 등수를 나눈다는 사실이 좀 그렇다).

'데일 카네기 코스 MVP Award'. 압도적인 득표율 차이로 내가 받았다. 한 가지 비결이 있었다. 난 이 한 가지를 첫 시간부터 마지막 시간에 이르기까지 빠짐없이 지켰다. 단도직입적으로 말하겠다.

'끝까지 열심히'이다. 대부분 사람은 열심히 할지 모른다. 허나, 끝까지 열심히 하는 사람은 단언컨대 적다.

자랑처럼 들릴지 모르겠지만, 한번 들어주면 하는 바람이다. 8번의 교육 간, 한 번도 지각한 적 없고 매번 일찍 도착했다.

조금씩 바뀌는 두 번째 대학 생활

일찍 도착하면 복도로 나가 심호흡 한번 크게 하고는 정신을 다지며 교육장에 다시 들어갔다. 배운 걸 실천해야 한다는 과제? 배운 걸 정말 실천하고 전날에만 짧게 대본 써서 발표 준비했다. 그리고 교육 때 누구보다 당당하게 먼저 손들었다. 나 준비된 사람이라고! 하겠다고! 발표 준비를 했다 보니 자신감이 생겨 앞에 재깍재깍 나가 큰 목소리로 속사포처럼 떠들어댔다. 이게 전부다.

여기에서 핵심은 '끝까지'라는 과정을 거쳤다는 거다. 프로그램이 끝이 나고 한번은 참가자들과 다 같이 사적으로 만난 적이 있었는데, 초반엔 대부분이 열심히 교육에 임했다고 한다. 하지만 시간이 흐를수록 실천하지 않은 적도 있었고 나중에는 발표 준비도 당일 날이 돼서야 부랴부랴 했다 하더라. 다시 한번 힘주어 말하고 싶다. 열심히 하는 사람들이 초반엔 많을 것이다. 허나, 끝까지 열심히 하는 사람은 귀하다.

절대 질 수 없는 승부를 펼치고 싶은가? 초심 잃지 말고 끝까지 열심히 하라는 뻔한 말은 하고 싶지 않지만 그게 진짜 내가 경험한 전부이다. 이미 알고 있는 사실인가? 그런 당신은 왕관을 쓸 자격이 갖춰진 셈이다. 왕관을 쓴 당신의 모습이 눈에 선하다.

*데일 카네기 수료증을 받은 참가 학생들*

*이때 받은 MVP 상패*

※ 참고로 데일 카네기 코스 프로그램을 앞으로 들을 수 있으면 무조건적으로 들었으면 한다. 해야 할 이유를 정 모르겠으면 수료 기준에 맞게 출석이라도 해서 수료증이라도 받았으면 한다. 당신이 받게 될 그 수료증, 언젠가 큰 힘을 발휘할 거다. 취업할 때든 어디든.

조금씩 바뀌는 두 번째 대학 생활

# 자기 자신을 이긴 챔피언

햇병아리가 근육질의 수탉으로 변신할 수 있을까?

때는 바야흐로 24살. 대인관계든, 성적이든 세상일이라는 게 전부 뜻대로는 되지 않는다는 걸 깨달은 나이가 됐다. 어느 하루였다. 한 헬스 트레이너가 딴 건 몰라도 몸만큼은 마음대로 바꿀 수 있다고 말하는 영상을 본 적이 있다. 음… 하긴, 몸은 거짓말을 하지 않는 법이니까. 그때 한 의문점이 뇌리를 스치는데. '과연 내 정신력은 성공한 사람들과 견줄만할까?'. 몸을 통해 확인하고 싶었다. 그렇게 대학교 2학년, 보디빌딩 대회에 도전장을 내민다.

## 이미 절반은 성공

당신이 책을 읽으며 눈치챘다시피 나는 절대로 강자가 아니다. 사실 이전에 두 번이나 보디빌딩에 도전장을 내밀었는데 초반에 몇 번 덤벼보다가 번번이 실패했다. 한번은 시작한 지 삼 일째에, 다른 한 번은 일주일째에. 이전과 새로운 삶을 살아보려니 너무 벅

찬 것이었다. 속으로 '보디빌딩 대회는 아무나 나가나? 나중에 돈 벌면 그때 PT 받으며 다시 도전해봐야지'라는 핑계를 대고 아무 일 없었다는 듯 생활을 이어갔다. 그러던 어느 날!

'그러던 어느 날'이라는 문장이 나오면 잔잔했던 일상에 파장이 일어난다는 말이다. 이전에 다이어트와 식단 영상을 자주 봐서인지 유튜브 알고리즘의 마법사가 자꾸 보디빌딩 대회 영상을 내게 추천해주는 것이다. '아 또 떴어?' 마음의 모닥불이 꺼져 멀리했지만, 결국 알고리즘의 끈기에 져서 한 번 봐보기로 한다.

클릭했다. 얼마 지나지 않아 묘한 기분을 느꼈다. 처음부터 끝까지 시간 가는 줄 모르고 영상을 본 내 모습에. 몰입한 나머지 양손 손톱들은 다 물어뜯긴 채 노트북 앞에 엉망진창 흐트러져 있다. 화면에는 온 힘을 다해 근육을 쥐어짜는 사람이 있는 반면, 그런 사람을 보며 온 힘을 다해 손톱이나 물어뜯고 있는 나. 그와 동시에 시야에 들어온 겹겹이 접힌 나의 '24년'산 묵은지 뱃살. 한심한 모습에 눈동자가 떨렸다. 더 이상 실패하기 싫어 다짐했다. 이번에 실패하면 차라리 죽기로! 웃자고 하는 말이 아니었다. 정말이다. 내 몸 하나 바꾸지 못하는 사람이 무슨 내 위치를 바꾼단 말인가. 또 실패하면 죽으리라!

200일쯤 후에 있는 보디빌딩 대회를 당장 신청부터 하려 했지만, 아쉽게도 지금은 신청 기간이 아니었다. 신청을 하려면 몇 달은 기다려야 했다. 이대로 솟아오르는 불꽃을 잠재울 수는 없는 법. 대신 바디 프로필을 먼저 예약함으로써 배수의 진*을 쳤다.

---

* 배수의 진: 배수진(背水陣). 한자 그대로 물을 등 뒤에 두고 임한다는 뜻으로 물러날 곳이 없다는 것을 의미함.

그날 밤, 일을 벌릴 때 느껴지는 감정과는 깊이가 다른 감정이 솟구쳤다. 이미 50퍼센트는 성공한 것을 직감했다.

## 인간의 한계

초행길을 내비게이션 없이 운전한다는 게 이런 기분일까? 앞으로 어떻게 준비해야 할지 몰라 막막했다. 그래서 준비 기간만큼은 넉넉하게 잡았다. 총 199일! PT는 가격이 너무 비싸 혼자 헬스를 하기로 한다.

굵은 땀을 흘리며 운동에 목말랐던 첫 100일. 시험 기간 따위 상관 쓰지 않고 정말 꾸준히 했다. 운동에 미쳤던 다음 50일. 운동에 중독되어 하루라도 하지 않으면 극심하게 불안할 정도였다. 운동에 생사를 걸었던 마지막 49일. 헬스를 낮과 밤, 하루에 독하게 두 번씩 해 박차를 가했다.

내가 좋아하는 치킨, 피자, 라면, 술, 음료수, 과자, 아이스크림. 199일간 입에 댄 적 한번 없다. 한 입이라도 먹으면 저세상에 갈 운명이었으니까.

그럼 운동보다 더 중요하다는 식단은? 주로 닭가슴살 소세지 두 개와 김치, 밥 한 공기를 한 끼로 먹었고 이렇게 총 세끼를 먹었다. 헬스 끝나고 프로틴 한잔은 국룰이고. 단연코 이렇게만 먹어도 살은 줄줄 빠진다. 대신에, 처음이니 서툴렀던 부분이 있었다. 나중에는 왼쪽 눈꺼풀이 파르르 떨렸다. 비타민 D가 부족해서.

199일 후. 결국, 나는 A(체중: 68.5kg, 체지방률: 23퍼센트)에서 B(체중: 53.5kg, 체지방률: 3.6퍼센트)로 변신하는 데 성공할 수 있었다. 이 기간, 일상에 큰 변화가 생겼는데. 고단한 일상 속 '운동'이라는 출구를 발견했다는 것이다. 운동이 하루하루의 원동력이 되어

주었다. 몸과 마음이 건강해지고 젊어지는 재미가 솔솔 했다.


　물론, 힘든 순간도 있었다. 스트레스가 어마어마한 시험 기간에
도 닭가슴살만 먹으니 답답한 마음에 미칠 뻔했다.
　또, 대회 준비 막바지에는 버스에서 내리다 휘청거린 적과 집
에서는 힘없이 유리컵을 들다 깨트린 적도 있다. 예민해져 사람들
과 연락도 하지 않고 어떻게든 시간을 보내기 위해 PC방도 혼자
일주일간 꼬박꼬박 가기도 했고(원래 게임을 끊었다). 난생처음 맛
본 한계. 보디빌딩을 준비하며 생지옥 속에 살았다는 후기들이 많
았는데 나 역시 마찬가지였다. 눈물이 많은 편이라 눈물도 두어
번 흘린 기억이 어렴풋하다. 지금은 뿌듯한 표정을 지으며 짜릿한
그때를 회상하긴 하지만.

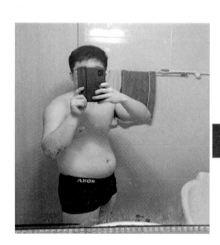
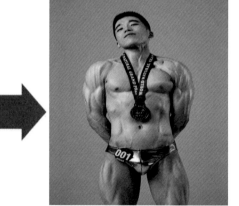

*A(체중: 68.5kg, 체지방률: 23퍼센트)*　　　　　*B(체중: 53.5kg, 체지방률: 3.6퍼센트)*

　　　　　　　　　　　　　　조금씩 바뀌는 두 번째 대학 생활

## 도움을 주는 조력자를 얻은 햇병아리

그런데 나 혼자 보디빌딩 대회를 준비했을까? 잠시 거슬러, 맨 처음 보디빌딩을 결심했을 때로 돌아가 보자. 그땐 도움의 손길을 요청할만한 누군가가 주변에 보이지 않았기 때문에 운동은 물론이고 A부터 Z까지 모든 준비를 혼자 하려 했다. 어쩌면 당연한 상황이다. 그런데 남들에게 내 목표를 알리니 전세가 역전되는 게 아닌가. 대회 준비를 함께 해준 이들이 생겼단 말이다.

헬스를 알려주고 4달간 운동을 함께 해준 채근이 형, 일요일 새벽마다 운동을 함께 해준 도경이, 대회 50일 전에 운동을 두 번씩하게 도와준 은수, 닭가슴살과 프로틴 뿐 아니라 왼쪽 눈꺼풀이 떨려 힘들어할 때 비타민 D 영양제를 챙겨주신 은수 어머님, 대회 포징 자세를 알려준 군대 동기 영준이, 인바디를 재러 갈 때마다 응원의 말씀을 아낌없이 해주신 하철암 팀장님, 무료 PT를 두 번이나 해주신 퍼스널 트레이너 이재용 선생님까지.
분명 나 혼자 외롭게 시작한 싸움이었는데 목표를 알리자 조력자들이 나타났다. 이들이 없었으면 중간에 외롭고 힘들어 주저앉지 않았을까?

이때, 깨달았다. 목표가 있으면 그 소중한 것을 혼자 간직하지 말고 남들에게 거침없이 알리자고. 그래야 도와줄 조력자가 나타난다. 우리와 가까운 지인일지 아니면 예상치 못한 누군가일지, 누가 우리의 조력자가 되어줄지는 아무도 모르는 일이다. 하지만 이때 조력자가 있고 없고의 차이가 결정적인 성패를 좌우한다.

헬스를 두 번씩 하게 도와준 은수    헬스를 알려준 채근이 형

일요일 새벽, 헬스를 함께한 도경이    대회 포징을 알려준 영준이

조금씩 바뀌는 두 번째 대학 생활

## 꼴찌가 아닌 '챔피언'

이 이야기의 끝은 어떻게 되었을까? 대회 장소, 부산 벡스코 BEXCO. "선수 번호 1번!" 사회자의 멘트가 울려 퍼졌다. 하얀 백설기 같은 속살은 온데간데없고 탄을 발라 금가루가 박힌 초콜릿 피부로 재탄생한 1번 선수가 무대에 섰다.

그 선수가 나였다. 무대를 향해 쪼고 있는 엄청난 조명들. 뜨거웠다. 무대에 선지 얼마 되지도 않아 몸은 땀으로 흥건해졌다. 너무 강렬한 조명 탓에 무대 밑에 있는 관객들이 모두 회색의 작은 점들로 보였다. 뒤이어 포징 시간. 지구의 핵에 닿을 정도로 온 힘을 다해 발바닥을 땅으로 밀어냈다. 하체와 함께 온몸을 쥐어 짰댔다. 무대 밑으로 내려가서는 집에서 가져온 '울산대학교라는 자부심'이라고 적힌 현수막을 펼쳐 응원하러 와준 친구들과 함께 기념사진을 찍었다. 하나… 둘… 셋… 찰칵, 찰칵.

199일간 노력했는데 과연 몇 등을 했을까? 궁금한 마음을 가진 채 곧 있을 시상식 무대에 올라섰다. 내 성적은 클래식 보디빌딩 부문 11위. 11명 중에 11등을 했다! 다시 말하면 꼴찌라는 말이다. 하지만 이날 나는 챔피언이 되었다. 자기 자신을 꺾은 챔피언. 커다란 포효가 가슴 깊은 곳에서부터 벅차오르고 있었다!

나는 무대 위의 내 모습을 세세히 알려줘 당신이 상상하게끔 동기부여를 하려는 것이 아니다. 나약한, 책상 앞에 앉아 손톱만 물어뜯으며 유튜브를 보며 열망만 하던 햇병아리가 결국엔 이 악물고 도전한 그 과정을 말해준다. 간절함을 가진 채.

스스로에게 도전장을 내밀어 승리하고픈 당신. 운동하자. 장담컨대, 운동이 하루하루를 설레게 해줄 것이다. 거울 속 자신을 보며 "진작 할 걸"이라고 말할 거다. 초반에 습관 잡는 게 힘들 뿐이지. 꾸준히 하면 된다. 자기 자신을 이길 챔피언이 다름 아닌 우리다. 방금 당신 마음속에 있는 적색 신호등이 녹색 신호등으로 바뀌었다('운동해야지'라는 생각을 지금 당신이 했다면, 이 이야기는 성공했다).

소중한 친구들과~~ (왼쪽부터) *부건이, 현준이, 건휘, 챔피언, 채근이 형, 민제*

조금씩 바뀌는 두 번째 대학 생활

## [보디빌딩 대회를 나가고 싶은 당신,
5개의 도미노만 무너트리면 된다]

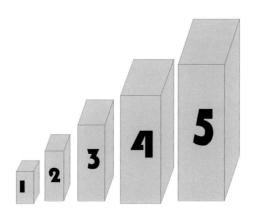

### ①번 도미노 '배수의 진'

-> 명심하라. 여기서 판가름이 난다. 배수의 진을 펼쳐야 한다. 간절히 도전하고 싶은 마음이 생기면 **보디빌딩 대회 신청**부터 하자. 돈만 내면 누구나 신청할 수 있는 대회가 많다. 정 정보를 모르겠으면 네이버에 '운동의 모든 것'이라고 검색하라. 내가 나간 대회이다. 자신에게 알맞은 준비 기간과 대회 장소를 골라 입금만 하면 끝이다. 보디빌딩 대회는 100퍼센트 나갈 수 있다. 지금 당장이라도 나갈 수 있는 게 보디빌딩 대회이다.

### ②번 도미노 '당신은 유재석'

-> 유재석의 직업은? 코미디언이다. 누구나 다 아는 사실이다.

마찬가지다. 당신이 보디빌딩 대회에 도전하고 있다는 것을 주변 사람 누구나 알게끔 하라. SNS에 공개를 하든, 카카오톡 프로필 사진을 바꾸든, 혹은 누군가에게 연락을 하든. 정체성을 바꾸는 동시에 **남들이 알게끔 하는 매우 좋은 방법이다.** 그럼 당신에게 관심 가져 함께 해주는 조력자가 나타날 수도 있다. "밥 먹자", "술 마시자" 유혹하는 연락이 자연스레 줄어드는 것은 보너스다.

### ③번 도미노 '체육관 등록'

-> 뭐든지 환경이 중요하다. **운동할 수 있는 환경**을 만들자. 되도록이면 나는 헬스장을 추천한다. 헬스장은 사람들이 어떻게 운동하는지를 바로 옆에서 지켜볼 수 있는 최고의 장소이다. 운동을 어떻게 해야 할지 모르겠는가? 곁눈질로나마 본 다른 사람의 동작을 주변에 사람이 없을 때 소심하게나마 한번 따라 해보자.

### ④번 도미노 '음식 change'

-> '자극적인 음식'만을 찾는 **몸에 깊숙이 베인 습관**을 끊어내야 한다. 눈 딱 감고 반찬으로 닭가슴살을 먹어봐라. 닭가슴살이라고 하면 모두가 질색한다. 퍽퍽한 맛없는 음식을 떠올리기 때문이다. 하지만 이는 크나큰 오산이다. 양념치킨 닭가슴살, 크림 머스타드 닭가슴살 등 끝내주는 닭가슴살이 시중에 정말 많다. 이 주일 정도만 맛있는 닭가슴살을 먹는다면 새로운 세상에 눈을 뜰 것이다.

### ⑤번 도미노 '최적화의 반복'

-> 시간이 지나면서 **당신만의 운동루틴과 식습관**이 생길텐데 그것을 대회 날까지 **반복**하라. 조금만 참아라! 다와간다.

# CHAPTER 4

## 처음으로
## '꿈'이란 걸 가지다

✕

## *꿈, 사람들에게 말해볼래?*

주변에 누가 있느냐는 참 중요하다. 한번은 대학 동기 기현이에게 연락이 왔다. "우리 팀이 지금 진로 버스킹 프로그램을 기획하는 중인데, 너가 꼭 참가했으면 해"

'제 2회 울청스타(울산 청소년 활동 페스타) 진로 버스킹 대회'를 기획하며 내게 딱 어울린다는 생각이 들었다고 한다. 그도 그럴 것이, 기현이는 나에 대해 잘 알고 있는 친구다. 내가 남들 앞에서 말하는 걸 좋아하고 최근에는 꿈 하나를 간직하고 있다는 걸 아는.

꿈? 나도 여러 경험을 통해 꿈을 찾은 사람이 되는 순간이 왔다. 주변 시선에 맞춰 정한 예전의 꿈('대기업 취업')이 아닌 이제는 주변 시선 따위는 아랑곳하지 않는 나만의 꿈, 이것을 말하고 싶었다. 버스킹 대회에 참가한다.

대회 당일, 청소년 차오름센터 2층 체육관. 250명 정도를 수

용할 수 있는 체육관이 초등학생부터 대학생 그리고 학부모님 들로 꽉 찼다. 그제야 '이 대회가 큰 행사구나'라는 걸 실감했다.

열렬한 환호 속 행사가 시작되었고 곧이어 맨 마지막 순서 인 내게 마이크가 주어졌다. 무슨 얘기를 했을까?


이 책에 지금까지 적힌 이야기들을 PPT로 요약해 짧게 얘기했다. 그리고 마지막에 한마디 보탰다.

"울산대 신입생들이 보는 영상에서 '울산대학교 22학번 화이팅!'이라고 외친 점(책에 담지는 않았다), 울산대 팀으로 대외활동에서 좋은 성적을 낸 점, 고등학교 강의에서 저를 '울산대학교를 너무나 사랑하는 학생'으로 소개한 점, 마지막으로 '울산대학교라는 자부심'이라는 현수막을 만들어 보디빌딩 대회에 나간 점, 이 점들이 모여 꿈이 생겼습니다" 뜸을 조금 들이고 얘기를 이어갔다.


"제 꿈은 저의 학교, 울산대학교를 전국 그리고 전 세계에 알린 뒤 『인생을 포기하지 않는 울산대 학생』이라는 책을 출판하는 것입니다"


뜨거운 박수가 쏟아졌고 당당하게 무대에 내려갔다. 몇 분후, 자리에서 대회 심사위원들이 마이크를 잡고 대회 평을 말씀하시는데… 심사위원 한 분이 마이크를 건네받으셨다.

"울산대학교 이동훈 학생, 발표 정말 감명 깊게 들었습니다. 이렇게까지 울산대학교를 사랑하는 학생이 있는 줄 몰랐습니다. 학교에서 꿈을 지원해 주고 싶고 대학교 총장님과의 자리를 추진하고 싶습니다" 그 순간, 장내가 술렁였다. 모든 사람이 고개

124

돌려 맨 오른쪽 구석에 있던 나를 쳐다봤다고 해도 과언이 아니다.

말씀하신 분은 울산대학교 입학전형자문위원이자 나의 모교 신정고등학교 현재 교장, 허성관 선생님이셨다('허 선생님'이라고 칭하겠다).

그렇게 대회가 마무리되고…. 퇴장하는 관객들 사이를 뚫으며 빠른 걸음으로 그에게 다가갔다. 찾아뵙고 인사를 드리니 허 선생님은 명함을 건네주시며 오늘 발표한 PPT 자료를 보내달라 하셨다. 언제 한번 교장실에 들리라는 말씀과 함께. 아직은 뭔지 모르겠는 무언가가 일어날 것만 같았다.

✕

## *첫 번째 기회의 창*

선선한 바람이 불며 2학기 개강을 하였다. 9월 6일! 모르는 번호로 전화 한 통이 온다.

"허성관 교장 선생님의 얘기를 듣고 연락드렸습니다. 학교 행정본관 2층 특별 보좌관실에 들러주세요"

"아, 아, 네! 편하신 시간대 말, 말씀해… 주시면 제가 그때 가겠습니다"

전화를 거신 분은 '허석도' 울산대학교 미래교육총장 특별보좌관님이셨다. 살 떨렸던 2분 10초의 대화. 떨림이 좀처럼 사그라지지 않았다.

9월 8일 오후 1시 50분. 26호관 203호(총장보좌관실) 앞에 섰다.

내가 총장보좌관실 문을 두드릴 줄이야. '똑똑' "네~". 나를 본 보좌관님은 제일 먼저 어깨를 두드려주시며 따뜻하게 격려부터 해주셨다. 소파에 마주 앉아 간단한 얘기를 주고받고 뒤이어 보좌관님은 나를 학교 입학관리팀에 소개해주고 싶다고 하셨다. "네!" 알겠단 표현을 전했다.

그렇게 우리는 1층 입학관리팀 사무실로 발걸음을 옮겼고. 보좌관님은 직원 한 분께 나에 관해 말씀하시는 모습이 보였다. 얘기를 들은 직원분이 말을 건네셨다. "저기 보이는 긴 테이블에 앉아 잠시만 기다려주세요" 다른 누군가 오시는 건가? 대학교 수업을 기다리며 강의실에 앉아 있는 것과는 사뭇 다른 기분이 들었다.


몇 분 후, 입학관리팀 차장님과 팀장님 그리고 A씨(교직원), 세 분이 오셨다! 차장님 손에는 한 장의 종이가 있었는데, 그것은 누군가가 나에 대해 적어놓은 글이었다. 알고 보니 내 버스킹 PPT 자료를 허 선생님이 하나의 문서로 간략히 요약해둔 것이 아닌가.

**울산대학교 '이동훈' 학생**

□ 개요
○ 2022 진진자라 진로 버스킹 대회 참가(울산광역시청소년활동진흥센터 주최)
○ 이동훈, 24세, 전기전자공학과 2학년 ☎ 010-2440-5612

□ 내용
○ 울산대학교에 대한 남다른 사랑과 자부심이 강한 학생
○ 울산대를 전국 그리고 세계에 홍보
  - 대학 깃발 들고 국토대장정(2022 겨울방학)
  - 울산대 홍보 위한 에베레스트 등반(계획)
○ 자신의 꿈을 향해 도전하는 멋진 젊은이
○ 다양한 대외 활동
  - 문수실버복지센터 자원봉사
  - 네이버 쇼핑 쇼호스트 선발
  - 중학교 방과후강사, 고등학교 특강
  - 각종 대회 출전(유니스트 아이디어 코어, 울산연구원 아이디어
    공모전, 보디빌딩대회, 진로 버스킹 등)

☞ 8월 21일 울산광역시청소년활동진흥센터에서 개최한 진진자라 진로
버스킹 심사위원으로 참석해서 이동훈 학생의 발표를 들었습니다. 울산
대학교에 대한 남다른 사랑과 자부심을 가진 멋진 청년이었습니다.
꼭 한 번 불러서 격려해 주시기를 부탁드립니다.

간단한 인사를 서로 주고받고 본격적인 대화를 나눴다. 종이에
써진 화려한 나의 이력(?)을 보신 차장님이 기대에 찬 눈빛으로
다음과 같이 말씀하셨다.

"올해부터 고등학생들을 대상으로 한 홍보 및 설명 프로그램을
진행하고 있는데 동훈 학생분이 하나의 역할을 맡아서 도와주실

수가 있을까요? 또 유튜브 LIVE 방송 관련해서도 저희가 최근 힘쓰고 있는데 혹시 생각이 있으신지 … (중략) … 이렇게 울산대학교에서 섭외를 하고 싶습니다"


멋지게 대학 생활을 하고 있다는 칭찬과 함께 세 분의 기대를 한 몸에 받았다. 얘기를 다 듣고는 자리에 벌떡 일어나 "넵!"이라고 크게 대답하고 싶었지만, 신중했다. 아니, 지나치게 신중한 척을 했다.

소중한 꿈을 혼자 스스로 펼쳐나가고 싶지, 누군가와 함께라면 분명 눈치만 살필 게 뻔했기 때문이다. '하고 싶다'의 마음이 나중에는 '해야 된다'로 변질될까 봐. 더욱이 자가진단 딱! 딱! 해보니 사실 난 그런 기대에 걸맞은 깜냥도 아니었기에.


깊게 생각해 보고 추후에 연락드리겠다고 나는 대답했다. 집에 돌아온 내내 쉽사리 어떻게 해야 할지 판단이 서질 않았다. 며칠 동안 고민에 잠겼다. 분명히 아주 멋진 기회가 찾아온 것은 맞는데…. 곧이어 종지부를 찍기로 한다.

확실한 자리, 즉 '직책'만 주어진다면 모든 것을 쏟아부어 입학관리팀과 함께하기로!


아래는 내가 차장님께 전달해 드린 기획서 내용 중 일부분이다.

[활동 내용]

① 개인의 역량을 발휘해 울산대학교를 차별화된
   방법으로 전국, 그리고 세계에 홍보
② 교내 입학관리팀이 지원하는 다양한 프로그램 참가

[활동 특전]

① 새로운 직책(이하 '홍보 앰버서더') 부여
② '명함' 제공
③ 학교 수업과 활동 겹칠 시 '공문' 발송
④ 대학 캠퍼스 투어(조금 있다 책에 나온다)를 위한
   '소정의 교통비' 지급


이렇게 나의 열정과 의지를 꾹꾹 눌러 담은 파일을 두 개 만들어 차장님께 보내드렸다. '아니? 이런 기회가 주어진 것만으로도 감지덕지한 거지, 괜히 비싼 척을 해도 되나?' 싶었지만! 물 들어올 때 확실히 노를 젓고 싶었다. 그러나 보여준 것 없이 말만 거창하다 느꼈을까? 끝내 답장은 오지 않았다.

그날 이후 나는 인생에 살아가는 데에 있어 큰 교훈을 얻게 된다. 먼저 요구하지 말고 무언가를 증명한 다음에 요구하자고.

처음으로 '꿈'이란 걸 가지다

✕

## 두 번째 기회의 창

'진로 버스킹 대회'에서 나를 지나치지 않고 큰 기회를 제공해 주신 허 선생님. 전화나 문자로 감사함을 담기엔 턱없이 부족한지라 선생님을 만나 뵈러 갔다. 홍삼 주스 한 박스를 들고. 학교에 도착하니, 활짝 열린 교장실 문 너머로는 허 선생님이 자리에 앉아 계셨다. 나를 보고는 두 팔 벌려 환영해주셨다. 인사를 드린 후, 혹시나 잊을 새라 꾸벅 허리 숙이며 감사하단 표현부터 전했다. 잠시 뒤, 교장실은 우리의 목소리로 가득 찼다.

허 선생님은 책을 무척 좋아하셔서 매일 독서를 하시는 분이셨다. 교장실은 물론이고 집에서든, 차 안이든 장소를 가리지 않고 책을 읽으신다니. 비범함이 느껴졌달까? 하물며 자신의 독서법을 아낌없이 내게 나눠주시는 게 아닌가. 귀 기울여 들었다. 그의 독서법은 크게 두 가지이다.

**첫 번째**, 마음에 와닿는 문장은 밑줄 치고 자신의 상황에 맞게 해석해 적기.

**두 번째**, 책 한 권을 완독하면 밑줄 친 문장들을 줄이고 줄여 마지막에는 세 개의 문장으로 요약하기.

허 선생님의 독서법을 다 듣고는 내 안에 하나의 결심이 섰다. 지금부터라도 책 읽어야겠다고! 허 선생님은 내게 '독서' 바통을 내밀었고 난 그것을 이어받았다(지금 이 책을 쓰게 된 초석이기도 하다).


우리는 한 가지 얘기를 더 주고받았다.

고등학생은 대학 입시를 위해 생기부(생활기록부)에 기록되는 활동만 하고, 대학생은 취업만을 위해 학교 다니는 일이 요즘 다반사라고. 부모님이 하라고 해서 하는 게 아니라, 스스로 생각해 보고 이것저것 진취적으로 해보는 것이 좋은데…. 그래서 아쉽다고.

허 선생님과 내 생각은 교집합이었다. 정확한 교집합에 나도 모르게 '와…!' 하고 탄식이 절로 나올 뻔했다. 머릿속에 남아있던 갈팡질팡한 의문점이 말끔히 벗겨지는 데에는 그리 오랜 시간이 걸리지 않았다. 그렇게 시간 가는 줄 모르고 대화하다가…. 허 선생님의 마지막 한마디가 내 두 눈을 커지게 했다.

"동훈아, 진로 버스킹 때 발표한 내용과 오늘 나눈 이런
이야기로 우리 학생들 앞에서 강연을 한번 해줘"

잘못 들은 건가. 모교이자 마음속 가장 소중한 곳, 신정고등학교에서 강연할 기회라니. 한 치의 고민 없이 크게 외쳤다. "네, 당연하죠!" 영광스러운 기회가 주어진 것이다.

처음으로 '꿈'이란 걸 가지다

✕

## *특별한 사람이 된다는 건*

그로부터 6일 뒤, 전화벨이 울렸다.

"안녕하세요. 신정고등학교 학생부장 이학승입니다. 교장 선생님께 말씀 듣고 연락드립니다. 학교에서 강연을 준비하고 싶은데 편하신 날짜가 있을까요?"

"잠, 잠시만요!!"

잠시 뒤…. 수요일, 대학교 수업이 없는 오후 2시 30분으로 강연 날짜가 정해졌다. 학생 몇 명 앞에서 강연하게 될까? 한 서른 명? 마흔 명? 문득 궁금해서 여쭤봤다. 그러나 그것은 빙산의 일각에 불과했는데. 수험생인 3학년을 제외한 1, 2학년 전체를 대상으로 강연이 이루어진다는 것이다!

학생회 학생들과 각 반 반장은 앞에서 강연을 듣고 다른 학생들은 교실에서 강연을 시청하는 방식이었다. 즉, 나의 강연이 방송으로 각반에 송출될 거라는 이야기. 학생 전체가 본다니! 입이 쩍 벌어졌던 것 같다. 그와 동시에 난 왜 이렇게 쫄보인 건지. 나의 그릇을 크게 만들 기회가 주어졌는데도 걱정이 태산이었다. 말 잘하는 달변가가 결코 아니었기에.

　바로 강연 준비에 임했다. 모교 후배들 앞에 설 강연, 모든 걸 쏟아붓는다.


　10월 12일 수요일, 강연 당일. 교복을 입은, 순수함에 밝게 빛이 나는 후배들을 얼른 보고 싶다는 마음에 하루 종일 발걸음이 가벼웠다. 설렘을 안고 학교 시청각실에 입성했다.

　잠시 후, 쉬는 시간 종이 울렸다. 그러자 밖이 시끄럽기 시작하더니 곧이어 들리는 '두두두두' 소리.

　두더지 떼처럼 후배들이 안으로 우르르 몰려 들어왔고, 2분 만에 시청각실을 꽉 채웠다! 모두 모이자, 학생부장 선생님께 마이크를 건네받았다.

(50분이 흘렀다)

　강연 마지막에 외쳤다. "나의 신정고, 우리의 신정고 화이팅!" "화이티잉~!" 시키지도 않았는데 크게 따라 외쳐주는 멋진 후배들. 강연은 뜨거운 호응으로 가득했었다. 쉬는 시간 종이 쳤음에도 열기는 식지 않았고 열다섯 명 남짓한 후배들이 교실로 돌아가지 않고 나에게 와주었다. 자신이 가고 싶은 학과에 대해 궁금해하는 후배, 강연 끝나고 나와 팔씨름하기로 한 후배, 큰 동기부여를 받았다는 후배, 올해 신정고 수능 응원 영상에 출연해 줄 수 있냐고 부탁하는 학생회 후배까지. 후배들과 마음을 나눈 뜻깊은 쉬는 시간이었다.


　수업 종이 칠 즈음에야 다들 각자의 반으로 돌아갔고 나도

처음으로 '꿈'이란 걸 가지다

집으로 돌아가려고 나왔는데… 아직 끝난 게 아니었다! 복도에서 마주치는 후배마다 모두 말을 걸어주는 게 아닌가. "형님, 진짜 최곱니다" "멋있어요" "인스타 팔로우 걸게요" 등등. 교문을 빠져나가는 순간까지 후배들의 열띤 응원을 받으며 퇴장했다.


지금쯤 당신은 궁금해할 거 같다. 도대체 무슨 얘기를 해주었길래 학생들의 반응이 남달랐는지. 하지만 이 책을 첫 장부터 읽어 온 당신은 이미 알고 있으리라.

● 고등학교 졸업식 날 단상 위에서 상 받은 이야기

● 대학교를 취업만으로 바라봤던 시야가 바뀐 이야기

● 창업 대회와 보디빌딩 대회 그리고 네이버 홈쇼핑의 과정을 세세하게 담은 이야기

● 울산대학교를 전국 그리고 세계에 알려 책을 출판한다는 내 꿈 이야기

이것들이 모이니 강연 자료가 되었다. 그리고 좋은 강연 내용이 되어 주었다.

이날로 나는 모교에서 468명을 대상으로 강연한 특별한 사람이 되었다. 실은 이전까지 착각했던 게 있었다. 특별한 사람이 되기 위해선 거창한 하나를 해내야 한다고. 그런데, 아니다. 이제껏 하고자 한 바를 착실히 했더니 그것들이 모여 나를 특

별한 사람으로 만들어 주었다. 여러 이야기가 모이니 나만의 특별한 이야기보따리가 생긴 것이다.

　난 앞으로 듣고 싶다, 당신의 이야기보따리를. 열심히 노력한 과정들이 담긴 당신의 이야기를. 곰곰이 떠올려보자. 떠오르는 게 있을 거다. 혹시나 아직 없다고 해도 괜찮다. 젊음으로 무장한 우리는 늦지 않았으니까. 이제부터 낙엽처럼 점점 쌓으면 되는 거 아닌가. 우리가 밖에서 만나는 일이 있을 때, 그땐 당신만의 특별함을 내게 전해줬으면 좋겠다.

처음으로 '꿈'이란 걸 가지다

강연 끝나고 오늘의 자리를 만들어 주신 허 선생님과…! >_<

✕

## 설 무대가
## 정말 없을까

모교에서 강연하고 무슨 생각이 들었을까? 한 가지 생각뿐이었다. '무대가 한 번 더 필요하다'. 그래야 이게 적성인가 아닌가를 확실히 알 수 있지 않겠는가. 하지만 무명의 대학생을 불러줄 곳은 없을 것 같았다. 그래서 내가 먼저 연락해 본다.

어느 하루였다. '동평중학교에서 강연하고 싶다'는 생각이 번쩍 스쳐 지나갔다. 동평중은 내가 8년 전에 졸업한 중학교이다. 생각에만 그치지 않는다. 중학교 홈페이지에 들어가서 교무실 전화번호를 알아냈다. 오케이. 이제 전화를 걸면 되는데…. 그러나 쉽지 않았다. 혹시나 거절당하면 어쩌지? 욕이라도 먹으면 어쩌지? 망설이는 동안 며칠이 흘렀다.

전화 거는데 여러 번 실패 했지만, 유난히 자신감이 가득 찬 날, 드디어 통화버튼을 눌렀다. 전화 받은 학교 교무실. "졸업한 고등학교에서 얼마 전 강연한 대학생입니다. 모교 동평중에서도 강연하고 싶어요" 이러한 얘기를 전하자 내 이름과 연락처를 물어보시고는 진로특강 담당 선생님께 전해준다고 하셨다.


　다음 날 오전, '띠리리링~ 띠리리링~'. 모르는 번호로 전화 한 통이 걸려왔다. 동평중 진로특강 담당 선생님이셨다. 예상치 못한 말씀을 하셨다.

　안 그래도 학교에 졸업생을 모실 기회가 별로 없었다며 오히려 고맙다는 것이 아닌가. 이어서 무슨 주제로 강연할지에 대한 선생님의 물음에 내가 답했다.

　"지금까지 대학 생활하며 이루었던 여러 도전과 지금의 꿈에 관한 주제로 강연하고 싶습니다" 확실한 방향성을 전하고 싶어 이전 PPT(신정고 강연자료)를 메일로 보내드렸다.

　메일을 본 선생님은 "전체 학생 대상으로 강연해도 될 정도로 내용이 괜찮네요"라는 말씀과 함께 나중에 다시 연락을 주신다 하셨다. 내게 무대가 또 생기는 걸까? 그렇게 다음 연락을 손꼽아 기다렸다.


　하지만 한 달이 지났는데도 감감무소식이었다. 하긴, 학교에서는 급한 게 아니었을 테니. 아, 목 빠지게 기다렸는데…. 혹시나 흐지부지될까 걱정이 된 나는 쐐기를 박는다.


　바로 '무료강연'이다. 모교라서 돈을 받지 않고 아무런 대가 없이 후배들의 마음에 모닥불을 피우고 싶다는 카톡을 선생님께 보냈다(앞서 전화 통화를 했기에 번호가 있었다). 잠시 후, 온 답장. "일정을 의논해보겠습니다"

그로부터 이틀 뒤, 선생님께 연락이 왔다. 화요일 4교시에 강연이 가능한데 편한 날짜가 있냐는 카톡이었다. 와…. 정말 된 것이다! 중학교 방학 전, 1월 3일로 빠르게 강연 날짜가 정해지고. 뒤이어 "몇 명을 대상으로 강연이 진행될까요?"라고 선생님께 여쭤보자 답장이 왔다.

"1학년 전교생"

1월 3일 오전 11시 35분, 1학년 담임 선생님과 학생들로 가득 찬 동평중학교 체육관. 그 앞엔 내가 서 있었다.

필살기를 선보였다. 그것은 강연하기 전에 출 춤('새삥'-지코)이었다. 어린 나이의 동생들이라 혹시나 지루해할까 준비해갔는데. 이 전략은 성공, 아니 대성공이었다! 강연 전, 괴상한 춤을 본 아이들은 웃으며 자지러졌다. 정확히 말하면 정말 체육관이 뒤집어진 것이다. 박수갈채와 함께 환호성이 터져 나온 BTS 이동훈(?)의 성공적인 모교 복귀전. 그러고는 졸업한 지 8년 만에 중학교에서 잊지 못할 강연이 시작된다. 진로특강 강연이었다.


어쩌면, 많은 사람이 자신이 설 무대를, 기회를 하염없이 기다리고만 있을지 모르겠다. 그런데 거꾸로 생각해 보자. 기회를 스스로 찾아 나서본 적이 얼마나 있는가. 혹시 가만히 앉아서 기다리고만 있었던 것은 아닐까? 굳이 기다리고만 있을 필요는 없는데. 바로 지금, 어딘가에선 당신을 기다리고 있을지도 모른다. 그렇다면 용기 낼 동기가 만들어진 셈이다. 내 경우, 동평중이 그랬다.

그때 교무실에 걸었던 전화 한 통. 설 무대가 없었기에 난 설 수 있는 무대를 직접 만들었다.

처음으로 '꿈'이란 걸 가지다

모교 1학년 후배들과 맨 뒤에 앉아 강연을 듣고 계시는 각반 담임 선생님

×

## 용기 내서 한 일

도전하다 보면 성공할 수도, 때론 실패할 수도 있다. 나 역시 실패한 경험이 있다. 결실을 보려다 중도에 포기했다. 그 경험담을 이번 장에 담았다.

'울산대학교를 전국 그리고 전 세계에 알린 뒤
『인생을 포기하지 않는 울산대 학생』이라는 책을 출판하는 것'

이러한 꿈을 가졌고 또 만천하에 공개했다. 꿈을 알리니 신기한 일들이 많이 펼쳐졌던 것 같다. 진로 버스킹 대회에 나가 상을 탔고, 울산대학교 총장 보좌관님도 만났고, 학교 입학관리팀을 만나 미팅도 했으며 허 선생님과 인연이 닿았다.

꿈도 실컷 알렸겠다. 이젠 행동으로 보여줄 차례. 어떻게 울산대학교를 알리지? 차별화된 방식으로 학교를 알리고 싶은데. 아무도 도전하지 않은 걸 해 보고 싶은데. 뭐가 있을까?

정했다. 바로 '**캠퍼스 투어**'. 지역 이름을 딴 여러 대학교(부

처음으로 '꿈'이란 걸 가지다

산대, 대구대, 제주대, 서울대 등)에 찾아가 울산대를 알리는 것이다. 그럼 어떻게 알리냐? 선물을 준비해 울산대 스티커를 붙여 대학생들에게 나눠주기로 한다. 대학 개강 날을 시작으로 행동에 옮기기로 다짐했다.

개강하고 5일이 지났다. 다짐한 대로 잘 되어가고 있을까? 하, 부끄럽지만 하나도 해놓은 게 없다…. 생각뿐이었다. 말만 그럴싸하게 했지 상품을 주문하는 것조차 하지 않았다. 용기가 나지 않았기 때문이다. 새로운 시도를 하자니 할 이유보다 하지 말아야 할 이유만 찾고 있던 게 아닌가. 돈도 돈이고 시간도 시간이고 에너지도 에너지이고.

그러다 오늘 새벽 2시 30분. 잠자리에 들려다 눈물이 맺혔다. 말만 번지르르해, 생각만 하고 실천은 하나도 안 해, 내가 이렇게 한심한 존재란 말인가? 현타가 왔다. 무서운 건 이렇게 좌절한다 해도 다음 날 일어나면 이 마음이 푸시시 꺼져 언제 그랬냐는 듯이 또 생각만 가득할 것이 뻔하다는 것이었다.

일어선다. 눈물을 닦는다. 거실 불을 켠다. 독기가 찬 눈으로 핸드폰을 바라본다. 글 한 편을 써 제일 친한 친구에게 보낸다.

진짜 니 앞에서 딱 한마디만 할게

욕 딱 한번만 할게요!
씨발 이동훈 머하나. 지금 생각만 하고
왜 행동으로 실천안하냐고.! 장난치냐.
오늘 밤을 새든 수업을 빼든 오늘 안으로
방향 다 정하고 큰 틀 다 잡아서 이번 달
내로 나는 춘해보건대학교에 가서 울산
대학교를 홍보한다. 돈 없다고? 그럼 대
출이라도 하던가. 돈 빌려달라고 싹싹 빌
던가. 말만 목숨건다고 하지말고 말에 책
임져라. 니가 아무것도 안하니깐 계속 불
안한거지. 지금 당장 실행으로 옮겨라.
HOW. U? 안전보안관? 성공하는 놈은
다 챙기면서 한다. 알겠냐? 무조건 니 능
력이다. 지금부터 행동에 옮겨라

오전 2:38

지구과학 수학천재 미지의소년 주거니 🖤

오전 2:39

*(2022/9/5 새벽) 친구에게 보낸 메시지*

글에는 욕도 적혀있었다. 노트북을 켠다. 쿠팡에 들어간다. 생각만 해댔던 물품들을 마우스로 긁어모은다.

물품을 다 주문했다! 다음으로, 울산대 로고가 박힌 스티커를 미리캔버스로 만든다. 들고 갈 배너도 하나 만들고.

결제 총액은 21만 원 정도! 계좌에 있던 절반 이상의 돈이 빠져나갔지만, 되려 뿌듯했다면 뿌듯했던 것 같다. 일단 저질렀기 때문에.

계획을 조금 틀어 홈그라운드인 울산, UNIST(울산과학기술원)에서부터 시작해보기로 했다. '이제 UNIST를 시작으로 가보는 거야!' 시계는 아침 6시 30분을 가리키고 있었고 그제야 짧게 잠을 청했다.

처음으로 '꿈'이란 걸 가지다

## 메시지가 담긴 선물

주문한 물품이 하나씩 왔다. 다 모이니 그 양은 상당했다! 정해둔 개수대로 포장지 안에 넣기 시작했다.

1개……2개……7개……32개……100개…

6시간이 지났다. "으아~~" 기지개를 펴며 마지막 150번째 포장까지 끝냈다.

(선물 구성품) 소세지, 미니 약과, 오트밀, 사과 쿠키, 볼펜

그러고는 집 근처 마트에서 큰 박스를 구해, 120개는 박스에, 나머지 30개는 학교 가방 안에 담았다. 이제 물러설 곳은 보이지 않았다. 다음 날 오전, 다 챙겨 목적지인 UNIST로 향한다.

이것을 시작으로 순서대로 부산대, 대구대, 경북대, 경남대에 갔다. 똑같은 방식으로. 과감하게 화살 첫 발을 쏘니 나머지 네 발은 쉽게 쏴지더라. 다만 캠퍼스 투어를 하던 중 달라진 점이 있다면 스티커 하나를 추가했다는 것이다. 자랑스러운 우리 학교를 간단하게 담아낸 스티커.

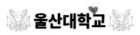

### 울산대학교

1. 설립자 : 정주영(1915 ~ 2001)
   무슨 일이든 할 수 있다고
   생각하는 사람이 해내는 법이다.
   - 정주영 -
2. 울산의 유일한 4년제 종합 사립 대학
   (비수도권 종합대학 중 1위)
3. 대학 교훈 "진리, 자주, 봉사"
4. 열정이 넘치는 학생, 교직원, 교수님의
   진리의 터전

국내 12위 · 아시아 105위

출처 : 영국의 글로벌 대학평가 기관THE(Times Higher Education)
-2022.06.01-

'울산대는 사립대학교일까? 아니면 국립대학교일까?' 내 눈엔 타지역 사람들의 상당수가 모르는 경우가 많아 보였다. 그리고 물론 개인마다 바라보는 관점이 다르기에 우리 학교를 그저 그런 지방대라고 생각할지도 모르겠다. 나의 '캠퍼스 투어'

처음으로 '꿈'이란 걸 가지다

메시지는 궁극적으로 이거였다.


● 울산대학교에 이렇게 학교를 사랑하는 학생이 있다는 것!
 -> 그래서 '<u>울산대학교</u>'라는 5글자가 머리에 박힌다.


● 정주영 회장님이 울산대학교를 설립하였고 현재
 <u>비수도권 4년제 사립 대학</u> 중에서 1등이라는 것!


만일 선물 받은 학생들이 잠깐이라도 이 메시지를 느꼈다면 나의 캠퍼스 투어는 해피엔딩이다.

## 왼쪽 가슴엔 웃음, 오른쪽 가슴엔 가난

보이는 곳에서 사람들에게 미소 지으며 선물을 나눠줬다면 보이지 않는 곳에서의 모습은 조금 슬펐던 것 같다.


나의 한 달 용돈은 당시 40만 원. 그땐, 친구와 자취를 하고 있었기에 고정적으로 매달 12만 원이 나간다. 그럼 남은 돈은 28만 원. 캠퍼스 투어를 한번 할 때 드는 비용은 교통비를 포함해 평균 16만 원 정도인데, 또 빼보자.

그럼 12만 원. 이것이 내가 한 달에 쓸 수 있는 생활비였다. 편의점의 육중한 문을 뚫고 흔한 삼각김밥 하나 사는 게 어찌나 버겁던지. 라면 사 먹을 돈도 아낀다고 편의점 앞에 서서 라면을 뚫어지게 보고는 가던 길을 간 적도 많다.

한번은 친구 K에게 집에 뭐 먹을 거 있냐고 물어봤더니 집에 쌓여있던 유통기한 지난 라면 10개를 내게 준 적이 있다. 유통기한 지난 라면들을 보고는 좋다고 박수 치며 행복해하던 기억이 아직도 선명하다.


당신은 이렇게 묻고 싶을지도. "아니, 알바라도 뛰시지 그랬어요?" 정기적으로 아르바이트를 할 마음을 잡지 못했다. 가뜩이나 이것저것 하고 있어 바빴기에 알바까지 해버리면 무너질 수도 있겠다는 생각이 들었기 때문이다(이런 핑계를 대는 것 보니 역시 난 나약하다). 그래도 축구장에서 인형 탈 쓰는 알바는 종종 했고 또, 받은 기프티콘을 팔아서 그리고 집에 안 쓰는 물건을 팔아서 번 돈으로 생활비를 더할 수 있었다. 조금 극한이긴 했지만, 어찌어찌 계속 생활했고 캠퍼스 투어를 이어나갔다.

## 내가 생각하는 '용기'란

애초에 서울대학교를 마지막으로 총 17군데의 대학교에 가는 게 목표였다. 별 탈 없이 4개월에 걸쳐 다섯 군데에 갔다. 하지만 시간이 흐를수록 삶은 계속해서 궁핍해져 가고 있었다. 더군다나, 대학에 찾아가 미소짓고 선물을 나눠주려 하면 학생의 상당수가 무시하고, 사이비 보듯이 지나가고. 오지 말라고 손을 휘이휘이 내젓기까지! 마음이 단단하지 않던 내겐 그것이 조금의 상처이기도 했다. 하면서 '이게 맞나?'라는 생각이 들었다. 나중엔 내 선택에 불확실함까지 생겼다.


그러다 다섯 번째, 경남대학교에서 캠퍼스 투어를 하던 중,

처음으로 '꿈'이란 걸 가지다

일이 터졌다. 어김없이 학생들에게 선물을 나눠주고 있는데 경남대학교 관계자가 나에게 왔다. 싸늘한 예감은 왜 항상 틀린 적이 없을까. 교내에 다른 학교를 홍보하고 있다는 신고를 받아 출동했다고 했다. 그 순간, 주저앉았다. 더 이상 선물을 주러 다가설 자신이 없어졌다. 마치 불법적인 일을 내가 저지르고 있다 발각된 느낌! 여기까지 하는 게 맞다는 신호로 받아들여졌다. 짐을 그대로 싸 울산으로 돌아갔다. 조용히 돌아갈 수밖에 없었다.

캠퍼스 투어는 이렇게 실패로 끝이 났다. 결과적으로 과연 나는 무엇을 얻었는가?

상상만 했던 일을 행동으로 옮겨보았고 그 과정 속 가난에 허덕대는 경험을 했던 것 같다. 그리고 무엇보다! 용기에 대해서 깨달았다. 목표와 열정이 있으면 사람들은 무엇이든 시도할 수 있을까? 아니다. 그래도 시도하지 못한다. 그 이유가 무엇일까? 첫발을 내딛는 용기가 없기 때문이다.

처음 캠퍼스 투어를 시작하기 전에는 막연하게 두려웠다. 시외버스를 타며 다른 대학에 가면서는 긴장되었고 가서는 학생들의 시선에 겁도 먹었다. 그래도 용기 내어 할 수 있는 데까지 했다.

두려움을 안 느끼는 게 용기가 아니다. 두려움을 느끼는데 너무너무 겁이 나는데도 그래도 해보는 것이 진짜 용기인 듯하다.

처음으로 '꿈'이란 걸 가지다

✕

## 무언가를 하니
## 무언가 벌어졌다

웃으며 통화하고 있던 세상 평화롭던 어느 토요일, 친구 H에게 갑자기 카톡이 온다. 평소 먼저 연락하지 않는 H인데.

『에브리타임(대학생 커뮤니티 앱)』의 한 게시물을 캡처해 내게 보여주더라. 그런데.

'어……? 뭐야, 나잖아?' 이게 어찌 된 일인지 내가 하고 있던 '캠퍼스 투어'에 관련된 글 하나가 익명으로 올라와 있었다!

제목은 '부산대에 울대 홍보하네 뭐냐 이거 ㅋㅋㅋㅋㅋㅋ'. 부산대학교에 가서 나눠준 선물이 사진으로 첨부되어 있었고, 아니, 스티커에 적힌 내 인스타(SNS) 아이디 또한 그대로 노출이 되어있는 것이었다.

**익명**
22/10/22 15:14

## 부산대에 울대 홍보하네 뭐냐 이거 ㅋㅋㅋㅋㅋㅋ

아 ㅋㅋㅋㅋㅋㅋㅋㅋㅋㅋㅋㅋ

👍 74  💬 63  ⭐ 1

👍 공감    스크랩 취소

*누군가가 울산대 '에타'에 올린 글*

    깜짝 놀랐다. 지금 이게 뭔 일인가 싶어 두 눈을 의심했다. 아마 추측건대 선물을 받은 부산대 한 학생이 울산대를 다니는 친구에게 받은 걸 사진 찍어 보내준 것 같았다. 자세히는 몰라도 썩 좋은 의도로 올린 건 아닌듯해 보이는 게시물. 그러려니 하려 했으나, 계속 신경이 쓰이더라. 글 지워달라고 쪽지를 보내야 하나 말아야 하나 고민하다 문득 캠퍼스 투어에 대한 사람들의 생각이 궁금해 그냥 지켜보자 했다.

평소처럼 헬스를 한 뒤 게시물을 다시 보는데, 그 글이 HOT 게시물('좋아요'를 많이 받은 게시물)에 선정되어 있던 게 아닌가. 곧이어 '실시간 인기 글' 1위에 선정이 된다. 댓글도 63개나 달려 있었다. 댓글 하나하나, 눈으로 읽어보는데….

놀라움이 찾아왔다. 믿기지 않게 하나같이 "멋있다", "대단하다"는 응원뿐이었다. 캠퍼스 투어에 관한 댓글보다는 내가 이제껏 살아온 모습이 대단하다는 댓글이 많았다.

'엥?' 알고 보니 게시물을 본 학생들이 사진 속의 인스타 아이디를 검색해 그동안 내가 올린 피드(학교 강연, 보디빌딩 대회, 공모전 수상, 마라톤, 네이버 홈쇼핑 등)를 구경한 것이었다.

이때 얼마나 많은 학생이 내 인스타에 유입이 되었냐면 평소에 240명 정도가 보는 내 스토리를 이날은 600명이 보았다. 360명 정도가 더 클릭했다는 말. 클릭한 숫자만 이 정도이지, 모르는 사람의 스토리를 대부분이 클릭하지 않는다는 걸 가정했을 때 엄청나게 많은 사람이 내 인스타를 검색했다는 걸 짐작할 수가 있었다.

아마 인스타그램을 보고 왔다는 댓글이 쌓이자 더 많은 학생이 궁금증을 가진 채 인스타를 검색했던 모양이다.

꿈꾸고 있나 싶어 댓글들을 다시 읽어본다. 참 감동적인 댓글들. '그래도 열심히 살았구나!'라는 생각이 솟아올랐다. 뭉클한 마음에 이름을 공개한 채 나도 댓글을 단다. 달린 댓글들을 보니 많은 생각이 들었고 감사드린다고. 시험 기간 화이팅하고 울산대학교 화이팅이라고. 뒤이어 내가 쓴 댓글에 '좋아요'가 쏟아지기 시작했다.

 **이동훈입니당!** **BEST**

안녕하세요 😊 사진속 학생이에요!
친구한테 얘기들어서 이렇게 게시글을 보게 되었어요!
게시글 올리신 의도는 정확히는 잘 모르겠지만~^^
댓글들을 보고 정말 많은 생각이 드는 것같아요!
그리고 댓글써주신 분들한테 감사드리다는 말씀을 꼭 하고싶
어요!
모두 즐거운 주말보내시고 남은 시험기간 화이팅했으면해요
🌸 그리고 울산대학교🏫 화이팅~
22/10/22 16:28 👍 143

---

**익명13**
대단하신 분이네
22/10/22 15:31 👍 6

**익명14**
인스타 보고오니 진짜 열심히 사는 사람이긴 하다
22/10/22 15:31 👍 29

**익명15**
인스타 봤는데, 대단하신 분이네.
22/10/22 15:32 👍 3

> **익명15**
> 나도 저런 열정 본받고 싶다
> 22/10/22 15:39 👍 5

**익명16**
열심히 사는 모습 배우고 싶음
22/10/22 15:33 👍 3

**(알수없음)**
의미없는 대학교 생활을 마치고 되돌아보니 인스타그램 주인
분은 제가 바랐던 의미있는 대학교 생활을 하고 계신 분이네
요 한없이 존경스러운 마음 뿐입니다 후배님
22/10/22 15:39 👍 20

**익명19**
멋지네
22/10/22 15:43 👍 6

**익명23**
처음에는 엥..? 했는데 생각할수록 대단한 사람이네 진짜..
세상에는 이런 사람들도 있구나 많이 배웠다
22/10/22 16:06 👍 8

**익명24**
내친군데 우리나라에 이런사람 없음
22/10/22 16:11 👍 6

**익명25**
진짜 멋있다...다들 인스타 보고 자극 받아라ㅜ 응원합니다
22/10/22 16:13 👍 6

**익명26**
이 사람 인스타에는 감동이 있다.
22/10/22 16:25 👍 5

---

22/10/22 21:07 👍 8

**익명49**
굿잡 이런식으로 홍보하는거 좋은듯
22/10/22 22:24 👍 2

**익명50**
저걸 혼자 개인사비로 하시는거...??
22/10/22 23:24 👍 9

**익명51**
뭐야 이 분 개멋저...
22/10/22 23:56 👍 2

**익명54**
인스타 보니까 대단하시다...!
22/10/23 01:34 👍 2

**익명55**
멋져요... 파이팅!! 응원합니다
22/10/23 01:47 👍 3

**익명56**
동훈이 오빠 진짜 대단하고 멋있는거 세상사람들 다 알아버
렸네ㅎㅎ 항상 응원할게!! 이동훈 빠이팅 ᶫᶫᶫ
22/10/23 10:17

**익명57**
5252 동윤쌤 열정적으로 사는 모습 보기 좋잖아...?! 나 좀
자극받을지도..?
22/10/23 12:37

처음으로 '꿈'이란 걸 가지다

이후, '전'과 '후' 학교생활에 변화가 생겼다! 길을 가다 일면식이 없는 학생이 나를 보고는 멈춰 서서 "혹시 이동훈 선배님? 아, 에타에서 봤어요. 오늘도 화이팅이에요"라며 응원해주기도 하였고, 훗날 만나는 학생들이 날 아는 경우도 많았다. "아? 이분이 그분이에요?"와 같은 반응.

심지어 한 달 뒤엔 교내 서포터즈 활동을 하시던 학생분들이 학교에 나를 추천해줘서 강연도 한 적이 있다! 울산대 학생이 울산대학교 학생 44명을 대상으로 말이다.

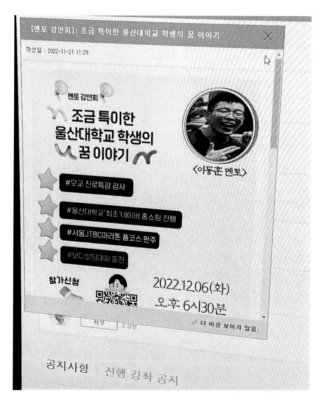

*학교 수업 페이지(uclass)에 올라온 강연 공지글*

나도 그랬지만 많은 이들이 무언가 해볼 때 혹여나 성과는 없고 허빵만 칠까 하는 걱정 때문에 해보는 걸 두려워하는 것 같다. 분명 무언가를 이룬다는 건 멋진 일이다. 그런데 사실, 무언가를 한다는 것 자체만으로 이미 너무나도 멋진 일이다. 아무것도 하지 않으면 정말 아무것도 일어나지 않을 뿐이고.


　　캠퍼스 투어, 내 목표였기에 해봤다. 결과로 따져보면 결실을 이루지 못한 건 맞다. 하지만 '에타'에 글이 올라왔다. 울산대 학생들로부터 잊지 못할 응원을 받았다. 나중엔 강연까지 하게 된다.

　　난 깊숙이 느꼈다. 무언가를 하면 확실히 무언가 벌어진다는 것을. 그렇다면 당신이 머릿속에 상상하고 있는 그것! 그것을 해야 할 이유가 하나 더 생긴 거 아닌가?

처음으로 '꿈'이란 걸 가지다

✕

*71%만 준비되면 도전해봐*

2022년 11월 6일은 "울산대학교 화이팅"이 서울 잠실 올림픽 경기장 안에 울려 퍼진 날이다. 그 소리와 함께, 학교 깃발을 옆에 가지런히 두고 쓰러진다. 그제야 눈을 감고 입으로 가쁜 숨을 몰아쉬었다. 42.195km. 76일을 준비해 서울 JTBC 마라톤 풀코스를 뛴 이야기다.

이전에 보디빌딩 대회에 출전한 적이 있어 나름 체력은 자신 있는 편이었다. 이 체력이 과연 어디에 빛을 볼 수 있을까? 얼마 지나지 않아 또 다른 도전이 생겼다. 마라톤을 뛰자고! 마라톤에는 5km, 11km, 21km 그리고 42.195km(풀코스)가 있는데, 많은 러너(Runner)들의 버킷리스트인 풀코스에 도전한다. 여기에 두 가지 조건을 덧붙인다. 울산대학교 깃발 들고 완주하기. 그리고 1초도 걷지 않기.

그렇게 시작된 나만의 도전. 아직 뛰진 않았는데 심장박동이 빨라지기 시작했다.

자, 그러면 마라톤 준비는 어떻게 하면 좋을까? 당신의 머리에 떠오르는 그거. 달리면 된다. 단순하게 생각하면 헬스하는 게 보디빌딩의 준비 과정이고 달리는 게 마라톤의 준비 과정일 뿐이다. '러닝화는 그래도 사야 하지 않나요?' 가진 돈이 별로 없던 나는 아파트 헬스장에 가서 버려진 운동화 한 켤레를 주워왔다. 운동화도 별로 없는 마당에 러닝화까지 바라는 건 내겐 큰 사치로 생각되었기에.

그러면 달릴 장소는? 집 앞 산책로와 울산대학교, 두 곳으로 정한다. 마지막으로, 달린 거리와 시간을 알려주는 '런데이' 어플까지 다운받았으니 이제 달리기 위한 모든 준비가 끝이 난 거다. 이후로는 정말 꾸준히 뛴 기억이 난다. 처음에는 5km를 뛰었는데, 뛰다 보니 살이 빠져 뛰는 거리가 점차 늘어났다. 한 달 반 뒤에는 쉬지 않고 30km까지 뛰는 순간이 왔다. 풀코스를 준비하기 위한 시험대가 필요해 마라톤 대회(11km, 21km)도 두어 번 나가봤다.


물론, 달리기가 처음이라면 3km 질주하는 것도 힘들게 느꼈을 것이다. 하지만 앞에 내가 뭐라고 말했는가? 체력에는 자신 있었다고. 나도 한 번쯤은 어드벤티지라는 걸 가져보자. 그렇게 순조롭게 진행되던 중.


풀코스 대회 2주 전이었나 3주 전이었나 변수가 발생했다. 꾸준히, 열심히 그리고 무식하게 뛰어서 그랬을까? 달릴수록 발목과 무릎 쪽에 통증이 점점 심해졌다. 이전 대회에서 스포츠 테이핑을 받아놓은 게 있어 아픈 부위에 칭칭 감고 뛰어봤다. 그렇지만 30km, 그 이상은 뛸 수가 없었다. 통증 때문에.

처음으로 '꿈'이란 걸 가지다

한계가 드러났다. 풀코스 거리를 연습 삼아 꼭 뛰어보고 갔어야 했는데…. 30km까지만 뛰고 어쩔 수 없이 계획의 71%만 완성된 채 도전하기에 나섰다.


서울 JTBC 마라톤 대회 당일, 학교 깃발을 들고 출발선에 선다. 잠시 후, '펑'하고 울리는 총성 소리.

3km…5km…7km…10km를 통과한다. 아직까진 호흡과 체력이 완벽하다. 20km를 지난다. 역시나 통증이 오기 시작한다. '아!' 점점 표정이 일그러진다. 마의 구간, '30km'다!

30km라고 적힌 표지판을 지나니 다리에 쥐가 나 벽에 손 집고 쥐를 풀고 계시는 분, 힘없이 땅만 보며 걸으시는 분, 힘들어 주저앉으신 분들이 급격하게 보인다. 뒤에서는 '삐뽀삐뽀' 들리는 구급차 사이렌 소리. '남 일이 아닌 나중의 내 모습일 것 같은데' 엄습해 오는 불안감. 엎친 데 덮친 격으로 통증이 심해지고 숨이 턱턱 막힌다. 흔들리던 머리가 점점 땅 쪽으로 쏠린다. 이대로 침몰하는 타이타닉을 탈출하지 못하는 건가.


그런데! 그런데 말이다. 무릎과 발목을 내내 괴롭히던 통증이 갑자기 사라지고 호흡이 정상으로 돌아오기 시작한다. '지금 이게 무슨 상황이지?' 마라톤 씬을 찍는 영화배우가 된 거마냥 사람들을 샤샤샥 제쳐가며 앞으로 나아갔다. 33km 구간까지 엄청난 속도로 냅다 달렸다. 난 지금 이 구간을 '마법의 구간'이라고 부른다. 마법이 펼쳐졌으니까. 마법의 정체? 그것은 일종의 러너스 하이*였다. 한계 속에서 맞이한 잊지 못할 순간이었

---

\* 러너스 하이(Runners' high): 장시간 달린 후 고통이 정점을 찍을 때 갑자기 찾아오는 짜릿한 쾌감이나 도취감

으리라. 이후 젖 먹던 힘을 다해 완주에 성공했다. 도전에 성공한 것이다.

'내가 계획한 목표량을 못 채웠으니깐 모든 것이 준비될 그 때, 다시 도전할래' '발목과 무릎이 아파 컨디션이 완벽하지 않으니 지금은 무리일 것 같아' 만약 이렇게 위안 삼으며 도전을 미루었다면 어땠을까? 음, 아마 영영 못 했을지도.

완벽한 준비 속 완벽한 결과를 맞이하면 완벽한 스토리일 것만 같다. 하지만 완벽하게 준비된 때는 사막의 오아시스를 만나는 것처럼 드물다. 적어도 내 인생엔 있었나? 음… 가만있어 보자. 생각나는 게 없다. 분명한 것은 어느 정도 됐다 싶으면 발을 한 발짝 떼어보는 것. 이것이 선택의 기로에 섰을 때 멈추지 않고 나아가는 방법이다. 꾸준히 단련시킨 근거 있는 자신감으로 한번은 그냥 부딪혔으면 한다. 그러다 보면 인생 선상에의 러너스 하이를 선물처럼 받는 날이 올 테니까.

X

## 간절하면
## 온 우주가 돕는다

'에브리타임' 사건(?)이 끝이 나고 남은 학기를 보내고 있었을 무렵이다. '겨울방학 때 한라산 정상에 한 번 올라가 볼까?' 문득 우리나라 가장 높은 곳에서 학교 깃발을 휘날리고 싶다는 생각을 해보았다.

그런데 방학이 되기도 전, 학기 중에 그곳을 간다. '동훈 씨, 원래 이렇게 추진력이 좋습니까?' 아니요. 절대, 전혀요. 난 새로운 뭔가를 시도할 때 지레 겁부터 먹는 스타일이다(지금도 해외에 가기 위한 여권을 발급해야 하는데 해본 적이 없어 겁난다). 하려는 도전이 있으면 뇌가 이 핑계, 저 핑계 대면서 그것을 튕겨내 버리는 것이 나의 기본값인 걸 어떡하나. 이번에도 마찬가지였다. 공항에 간다거나, 비행기 티켓을 예매하는 등 해보지 못한 시도에 잔뜩 겁부터 먹었다. 단지 '겨울방학 때 가야지'라는 막연한 생각뿐.

여기까지만 들으면 어떻게 갈 수 있었나 싶겠지만 앞서 '보디빌딩 이야기'에서 언급했듯이, 이번에도 소중한 목표를 알렸다. 그랬더니 또 다른 조력자가 모습을 드러냈다!

11월의 어느 날, 친구 민제에게 잘 지내고 있나 안부 차 전화했는데, 이것이 발단이었다. "겨울방학 때, 한라산 도전해볼게"라고 민제에게 말했더니 민제가 "나도 한라산 한번 가보고 싶네"라고 하더라. "어…?" "어…?"

서로 시간이 되는 날은 12월 첫째 주에 딱 이틀이 있었는데 이때 같이 가기로 한다. MBTI가 'J'(계획을 추구)인 나와 달리 민제는 'P'(유연하고 즉흥적)였기 때문에, 이날 전화 통화하며 비행기 표 예매부터 한라산 국립공원 홈페이지에서 등반 신청, 그리고 근처 숙소까지 민제의 주도하에 1시간여 만에 후루룩 예약했다. 나 혼자였으면 며칠은 걸렸을 텐데….

정말 민제 덕분이다. 부모님께 용돈 받고 있던 나는 그날부터 경비 마련을 위해 돈을 아끼고 아꼈다. 왔다 갔다 하는 버스비를 제외하고는 한라산 가는 전날까지 100원도 쓰지 않았다. 그렇게 경비를 모았고.


12월 1일 목요일. 우리는 수업이 끝난 다음, 김해국제공항에 도착해 비행기에 올라탔다. 해가 진 저녁에야 제주도에 도착했고 저녁밥은 각자 사 먹기로 했다. 돈이 간당간당했기에 나 혼자 편의점에서 끼니를 때우기 위함이었다.


그렇게 끼니를 해결한 후 다시 만난 우리는 블로그에 올라와 있는 소식들을 보고는 숙소에서 좌절한다. 좌절할 수밖에 없었다. 눈이 많이 내리면 한라산 정상으로 가는 길이 통제되는데, 요 며칠간 계속 통제되어 있다고 적혀있었다. 눈 때문이었다. 정상을 가려고 등반한 사람들은 전부 삼각봉 대피소까지만 탐방하고 아쉽게 발걸음을 돌렸다는…. 내일 제주도 날씨를 바로 검색해봤다. 플리즈! 플리즈! 플리즈! 제발! 제발! 제발! 하지만 어김없이 눈이 오기로 되어있는 게 아니던가. 아, 한라산 정상에 서기 위해 울산에서부터 왔는데…. '그래도 기왕 왔는데 혹시나 모르잖아?' 실낱같은 희망을 품은 채 잠자리에 들었다.

세상 모든 사람이 자고 있을 이른 새벽, 알람 소리가 울렸다. 가져온 짐을 부랴부랴 챙겨 목적지인 한라산으로 출발했다. 한라산에 가까워지니 택시 창가 너머로는 흩날리는 눈이 보였다. 다행히 많이는 아니고 조금씩.

예약한 QR코드를 산 입구에서 보여 준 후 혹여나 눈이 더 올까 맹렬한 속도로 등반하기 시작했다. 들고 온 헤드랜턴으로 어둠을 뚫으며.

그런데 너무 조급했던 나머지, 민제를 신경 쓰지 못했다. 뒤를 돌아보니 경사진 길 위에서 민제는 헉헉거리며 처지는 발걸음으로 나를 따라오고 있었다. 미안한 마음이 들어 이때부턴 민제의 속도에 맞춰 걸어갔다. 그제야 자연의 아름다움이 눈에

처음으로 '꿈'이란 걸 가지다

들어오기 시작했다. 해가 조금씩 뜨더니 아침이 밝았다. '이야!' 눈 덮인 설산, 한라산은 그야말로 장관이었다. 흡사 영화 『겨울왕국』의 주인공, 엘사가 금방이라도 튀어나올 것만 같았다!

짧게 감탄하고 다시 올라갔다. 하지만 그것도 잠시, 앞에서 잘 가시던 한 아주머니가 멈추시고는 우리에게 말을 걸었다. "문자 보셨어요?" "네? 아니요?" 주섬주섬 핸드폰을 꺼내 보니 와있던 문자메시지.

12월 2일 (금) 오전 8:01

[Web발신]
이동훈님 기상특보(대설주의보) 발효로 삼각봉대피소까지 탐방 가능합니다. 자세한 사항은 한라산국립공원 홈페이지를 확인하시기 바랍니다. 감사합니다.

혹시나 했건만, 오늘도 어김없었다. 대설주의보가 발효되어 정상이 통제되었다는 것이다. 말없이 민제와 서로 쳐다봤다. 몇 초 후, 힘 빠진 목소리로 내가 말했다. "그래도 올라갈 수 있을 때까지 올라가 보자…"

1시간 30분 후, 삼각봉 대피소에 도착했다. 대피소 안에는 우왕좌왕하는 여러 등반가의 모습이 보였다. 다들 정상을 보려고 이 산을 올랐을 텐데 당혹스러운 건 똑같았나 보다. 한숨 거하게 내뱉고 경치나 보려고 홀로 밖으로 나섰다.

그런데! 분명 어제 본 블로그에는 올라가는 길이 여기부턴 막혀 있었는데 밖에는 덩그러니 그 길이 열려있었다. '엥? 내가 잘못 보고 있나?' 아니, 확실히 열려 있었다. 통제가 안 되어 있다니.
민제에게 달려가 이 소식을 전했다. 혹시나 막힐까 급히 대피소로 다시 가 짐을 챙겼다. 다소 흥분된 목소리로 안에 있는 사람들에게 외쳤다. "지금 길이 통제가 안 되어 있어요! 저희는 일단 갈 거예요" 이 말을 들은 사람들은 의심 반 혹시나 반 하는 마음으로 몸을 일으켜 세웠다. 그리고 다 같이 약속이나 한 듯 정상으로 향했다. 얼마 후, 풍경 사진도 찍을 겸 오랜만에 핸드폰을 꺼냈더니 와있는 문자메시지.

12월 2일 (금) 오전 9:24

[Web발신]
이동훈 님 금일 09:00부로 대설주
의보가 해제 됨에 따라 정상(백록담)
탐방가능합니다.
감사합니다.

처음으로 '꿈'이란 걸 가지다

그렇게 가장 높은 곳, 해발 1,947미터에 우뚝 섰다. 우리보다 밑에 있는 구름을 바라보며 학교 깃발을 휘날렸다. 웃으며, 쩌렁쩌렁 외쳤다. "울산대학교 화이팅!"


집에 등산화가 없어 군화를 들고 갔다. 민제와 통화를 한 날부터 4주간 허튼 곳에 100원도 쓰지 않았다. 제주도에 도착해서도 편의점에서 끼니를 해결했다. 당일, 정상이 통제되었다는 문자를 받아 좌절했다. 불가능하다고 생각했다. 그래도 내려가지는 않았다. 그랬더니 기적이 일어났다. 우리나라 가장 높은 곳에 서게 된다. 3대가 덕을 쌓아야 볼 수 있다는 백록담까지 본다. 간절했다니 혹시 온 우주가 우리를 도운 것은 아닐까? 이 깨달음이 사실이라면,

앞으로 목표를 가지면 간절해야지.
우주를 믿고 계속해서 올라가야지.

✕

## *젊기에*
## *사서 고생합니다*

누구에게나 자신만의 잊지 못할 경험이 있기 마련이다. 나에게도 한 가지 있는데 그것을 지금 말해볼까 한다.

대학교 3학년 여름방학 때의 일이다. 해남 땅끝마을에 갔다. 땅끝마을이라고 혹시 들어봤는가? 서울역과 약 490km가 떨어진 땅끝마을 근처에는 전망대(638m) 하나가 있는데, 날씨가 좋으면 이곳에서 맨눈으로 제주도의 한라산을 볼 수 있다고 한다. 그 정도로 한반도의 끝에 위치해 있다. 그곳을 간다. 서울역에서부터 혼자 걸어서.

그럴만한 이유가 사실 두 가지 있었다. 살다 보니 전부 열심히 보다는 잘하는 것이 중요하다고 말해주더라. 열심히는 기본이라고. 그래서 그럴까? 어느새 해야 할 것이 생기면 힘 빠지기 시작했다. 나라는 사람은 지금 열심히 하기에도 벅찬데……. 그런데 잘하기까지 해야 한다니! 날짜가 바뀔수록 '이것도 잘 해내야 해. 열심히만 하는 건 결국엔 쓸데기 없는거야'라는

처음으로 '꿈'이란 걸 가지다

생각에 사로잡혀 나중에는 솔직하게 현실에서 도망칠까 싶기도 했다. 이것이 첫 번째. 두 번째, 숨통 트일 시간이 필요했다.

그래서 선택한 것이 혼자서 걷는 국토대장정이었다. 하늘이 무너지는 한이 있어도 출발하고 싶었다. 생각 정리도 하고 다녀와서 새로운 나로 재탄생할 수 있다면야.


블로그에 올라와 있는 여러 글을 읽으며 대략적인 코스를 세웠고 필요한 준비물들을 샀다. 준비하는 데만 한 10만 원 정도 쓴 것 같다. 큰 배낭, 우비, 물집 방지 테이프, 야광조끼, 카라비너, 자외선 차단 마스크, 발목 보호대, 실내 슬리퍼 등.

또, 국토대장정을 하셨던 분들은 대부분 배낭 뒤에 태극기를 걸고 걸으시던데 난 좀 다르게 하기로 한다. 울산대학교 현수막을 배낭 사이즈에 맞게 제작하여 뒤에 걸고 걷기로 한다. 이제는 할까 말까 고민되고 두려우면 '울산대학교'와 함께 한다 하면 든든하거든. 두려움이 '해보자고!'로 바뀌거든.

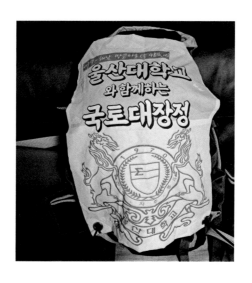

그렇게 짐을 꾸려 ktx를 타고 7월 13일, 서울역 앞에 섰다. 날씨는 장마철이라 하늘에 구멍 난 듯 비가 억수로 쏟아졌다. 비 온다 해서 걷지 못하는 건 아니니 일단 출발했다. 네이버 지도에 첫날 목적지인 수원역을 찍고 걷기 시작했다. 처음 해보는 도전이라 얼굴에는 긴장감이 가득했고 10시간가량을 비 맞으며 걸으려니 진심으로 힘들었다. 그렇게 폭우를 뚫고… 우여곡절 속 수원역에 도착하였다. '이럴 수가! 이제 하루 지났다니'

폭우는 내내 쏟아졌다. 엄청난 빗줄기로 청주 오성에는 지하차도가 물에 잠겼을 정도였다. 둘째 날, 신고 갔던 흰색 운동화의 밑창이 분리되어 떨어졌다. 셋째 날 눈을 뜨니, 양 발가락은 물집으로 가득 차고야 말았다. 의지만 강했지, 날씨도 날씨였고 또 꼼꼼히 준비하지 않아 제대로 호되게 당했다. 뒤늦게 물집 방지 테이프를 붙여보고 신발도 새로 샀지만, 이미 발가락은 물집으로 덮인 상태였다. 이때부터 정말 가시 위를 걷고 있는 것만 같았다. 매 순간 인상이 쓰였고 고통스러웠다. 나중엔 너무 아파 병원까지 찾아갔다. 8일 치 약(진통제, 염증 완화제)을 처방받고는 다시 나아갔다. 해남 땅끝마을을 목표로.
사서 고생한다면 사서 고생한 이 과정 속, 보고 느낀 것이 많은데 지금부터는 이것들에 관해 얘기하고자 한다.

## 마음속에 저장된 '정겨운 시간'

천안에서 공주로 향하던 넷째 날. 천안 풍산리를 지나는 도중 작은 마을이 보였다. 비도 계속해서 오고 다리도 아파 마을 앞 쉼터에 잠깐 앉았다 가기로 한다. 가보니 마을 아저씨들과 할아버지들이 계곡에서 잡은 물고기로 어죽을 만들고 계셨다.

외부인인 내가 옆에 앉아 경계할 법도 한데 맥주 한 캔을 손에 덥석 쥐어주셨다. 방랑자 같은 나의 옷차림을 보고 "어디 가시는데요?"라고 물어 국토 대장정을 하고 있다 하니 여기서 배부르게 어죽과 라면을 먹고 가라 그랬다. 마침 한 끼도 먹지 않아 배가 고팠던 상황. 바쁜 걸음을 멈추고 쉬었다 가기로 한다. "아, 나도 젊었을 때 배낭 하나 메고 떠나고 싶었는데… 시간이 참 빨라" "그러게유. 그래도 우리 젊을 때 생각해 보면 그럴 상황도 아니었네요" "젊은이가 참 대견할세. 정말" 날 보며 과거 회상하시는 아저씨들. 아저씨들 이야기를 안주로 나도 맥주 한 모금 꼴깍 들이켰다.

그러고 한 시간쯤 지났을까? 그분들은 "행복해요"라는 말만 안 했지, 누구보다 행복해 보였다. 마을 사람이 근처에 오면 아랑곳없이 맥주 캔을 쥐어주며 쉬다 가라 하셨고 지나가는 사람들이 보이면 넉살스럽게 손 흔들며 "어디 가요?"라며 물으며 인사도 건넸다.

또, 의자 위에 있던 부탄가스가 보이지 않아 다들 찾고 있는데 여기서 대빵인 듯 보이던 한 할아버지가 자신의 런닝구 속에 숨겨둔 걸 꺼내며 "여기있지롱~" 하시더라. 그러곤 모두 박수 치고 웃으며 "아유 저 할범. 또 또 저래. 못 산다 진짜". 할아버지는 성공했다는 듯이 부탄가스 들고 한바탕 춤을 추시고. 나도 한바탕 신나게 웃고.


그렇게 20분처럼 흘렀던 2시간을 함께 하고, 가야 할 시간대가 되어 먼저 몸을 일으켜 세웠다. "동훈이라 했지?" 젊을 때 배낭 메고 떠나고 싶었다던 아저씨가 내게 다가왔다. "네!" "동훈아, 앞으로 바쁘게 흘러갈 삶 속에서도 가끔은 이런 즐거운 시간을 보내면 좋겠네"

마지막에 건네주신 이 말씀을 길 걸으며 곱씹어 생각해 보니 '아, 이맘때의 아저씨들의 삶도 바쁘게 흘러갔었구나'를 늦게나마 유추할 수 있었다. 바쁠 일상 속에서도 틈틈이 즐겁게 지내야겠다. 오늘을 잊지 말아야겠다.

이웃들과 오순도순 모여 정겨운 시간을 보내는 것. 그 분위기에 취해 지나가는 사람이 있으면 능청스럽게 말을 걸어 설레는 긴장감도 느껴보는 것. 기억해 놨다가 나도 훗날 한번 따라 해 봐야지. 그럼 오늘을 또 느낄 수 있겠지.

## 사람 인생이 꼭 계획한 대로 흘러가는 건 아니다

전라남도를 향해 걷고 있던 10일 차. 출발한 지 3시간쯤 흘렀는데 근처에 편의점 하나 없었고 비가 주룩주룩 오고 있었다. 때마침 길가에 주유소가 있어 쉬었다 가기로 한다. 여느 때처럼 주유소 앞에서 잠깐 쉬어도 되냐고 여쭤보니 지금 밖에 바람과 비가 심하다고 안에 들어와서 쉬라고 그랬다. 주유소 안은 처음이었다. 이제껏 밖에서만 쉬었는데. 들어가니 시원한

처음으로 '꿈'이란 걸 가지다

물과 간식들을 내게 내어주셨다. 한 끼도 먹지 못한 터라 허겁지겁 먹어댔다. 간단히 배를 채우고 주유소 사장님을 다시 보니 나이가 글쎄. 많아 보이진… 아니, 젊어 보였다. 이들은 주유소를 경영하고 계신 30대 부부셨다.

두 분은 대학(학과는 식품영양학과)을 졸업하고 전공 살려 회사에 들어갔단다. 나중에 주유소를 경영할 줄은 상상도 하지 않은 채 커리어를 쭉 쌓아가는 게 목표였단다. 30대가 되어서도! 그러던 어느 날, 주유소를 경영하시던 와이프 쪽 친척 한 분이 부부에게 선뜻 주유소를 넘겨주겠다고 했단다.

그 후, 많은 고민 끝에 다니던 회사를 두 분 다 그만두시고 지금의 주유소에서 일하고 계신 것이었다. 사실, 대한민국에 주유소란 주유소는 널려 있기도 하고 또 요즘 전기차를 타는 사람들이 많아져 경기가 예전만큼 썩 좋은 편은 아니라고 했다. 그래도 회사가 아닌 주유소에서 일하며 여가 시간이 많이 생긴 것은 크나큰 장점이라 했다. 누구 눈치 볼 필요 없이 1시간가량 나와 이야기를 주고받는 것을 보니 정말 그런 듯했다. 어딘가에 쫓기는 기분보다 오히려 여유로워졌다던데, 정말 그들의 미소에는 여유로움이라는 단어가 쓰여 있었다. 항상 쫓기는 마음으로 사는 사람들은 따라 지을 수 없는 그런 미소랄까.

나는 '20대에는 이런 이런 것들을 하고 나중엔 또 저런 저런 것들을 해야지'라는 계획을 미리 짜놓는 편이다. 나중에 후회하기 싫고 한 번에 잘 가고 싶으니까. 그런데 어쩌면 인생이 계획했던 방향을 벗어나 갑자기 다른 곳으로 튈 수도 있는 듯하다. 회사에서 계속 커리어를 쌓을 줄 알았는데 문득 주유소를 경영하고 있는 것처럼.

그럼 빈틈없이 진로를 설계하려는 내 태도가 되려 어디로든 튈 수 있는 인생을 가로막고 있었던 건 아닐까? 인생이 꼭 그렇게 흘러가라는 법은 없을 텐데. 삶의 방향성은 잡되, 때에 따라서는 한번 유연하게 생각해 볼 필요도 있겠다.

## 지금 알아서 다행이다

한번은 지나가다 만난 아저씨가 내게 이런 말을 해주었다. "어디 마을회관 가서 사정 말하면 재워줄 수도 있으니 한번 가봐. 마을회관이 방도 있고 샤워도 되고… 있을 건 다 있어" 땅끝마을 도착 하루 전, 마지막 남은 42km를 뚫고 도착하면 몇 시가 될지 계산해 보니 새벽에나 도착할 것 같았다. 그렇다고 중간에 숙소가 있던 것도 아니고. 불현듯, 그 아저씨의 말이 떠올랐다. 마을회관에서 숙박해 보기로 한다.

28킬로미터 정도 걸으니 나온 해남 부평마을. 안으로 발걸음을 옮겼다. 마을에 들어가니 한 할머니가 나를 뚫어져라 쳐다

처음으로 '꿈'이란 걸 가지다

보셨다. 먼저 말을 걸어본다. "할머니, 안녕하세요. 혹시 여기 마을회관 있을까요?" 할머니는 손가락으로 마을회관 위치를 알려주셨고 그쪽으로 가보니 '헐…' 마을회관 문이 닫혀있었다. 오늘은 문을 열지 않는 날이었다.

'아, 어떡하지. 근처에 숙소가 있는 것도 아닌데' 당황스럽던 찰나, 마을회관 위치를 알려준 할머니가 무슨 일이냐며 내게로 왔다. 할머니께 사정을 말씀드리자, 할머니는 흔쾌히 "그럼 우리 집에서 자고 가~"라고 하셨다. "그래도 될까요? 정말 정말 감사드립니다"


그렇게 도착한 낯선 할머니의 집. 우선, 샤워부터 했다. 샤워를 끝마치고 핸드폰을 만지다 두 눈을 의심했다. 여느 때처럼 와이파이를 연결하려 했는데, 여기는 그런 게 존재하지 않았다. 그뿐 아니라, 이곳 작은 시골 마을엔 슈퍼 하나 없었다. 사람, 키우는 개, 집, 그리고 마을회관만 존재하는 곳이었다. 그동안 알고 지내던 사회와는 다른 세계였다.

곧이어 "밥 먹자" 하시는 할머니. 그 말 듣고 부엌으로 갔는데 다른 방에서 할아버지 한 분이 나오셨다. 그런데 뭔가 달랐다. 비틀비틀 걸어오셨다. 몸에는 힘이 없어 보였다. 자리에 앉으시고는 아주 천천히 숟가락과 젓가락을 집으셨다.

할아버지 옷에 뭔가 묻어있길래 봤는데, 그것은 '똥'이었다. 할머니가 말씀하셨다.

"우리 할범, 몇 년 전에 풍 왔어. 그전까지는 멀쩡했는데…" 가만히 말을 듣고 있던 내 눈엔 벽에 걸린 가족사진이 보였다. "아, 저 사진? 우리 작은 아들, 큰아들 그리고 며느리와 손자들과 같이 찍은 사진. 한 30년쯤 더 지났네"

사진 속의 건장하고 듬직했던 아저씨가 지금 내 옆에서 힘겹

게 식사하고 계신 할아버지였다. 할아버지는 식사하시며 기침을 하셨다. 계속하셨다. 소리는 갈수록 커졌다. "이 할범이 진짜 죽을 날이 왔나? 오늘따라 왜 이래? 참말로"

나는 "할아버지, 식사 천천히 하세요. 할머니, 아니에요, 그런 말 하지 말아요"라는 말을 뱉으면서도 속으로는 숙연했다. 밥 먹으며 점점 숙연해졌다.


밥 다 먹고, 빈방에 불 끄고 누웠다. 할아버지의 짙은 기침 소리는 그날 밤, 멈출 기미가 보이질 않았다.

살아가며 느끼는 '미래' 걱정, 사회초년생으로서의 불안감이 이날은 마음에 와닿지 않았다. 오히려 아무렇지 않게 느껴졌다. 인생을 결정 지을 만큼 거대하게 심각한 일이 아니었다.

내가 이 대장정을 마무리하고 사회로 돌아간다면, 적어도 "바빠서"라는 말을 앞으로 달고 살진 않을 것이다. 좀 더 멀리 보려고 노력할 것이다. 지치고 힘든 날일수록 편안한 순간을 자주 만들고 싶다. 가족과 함께.

꼬리 물며 생각들을 이어가다 나도 모르게 스르륵 잠이 들었다.

처음으로 '꿈'이란 걸 가지다

## 세상은 정말 삭막할까

16일간 '나 국토대장정 하고 있어요!' 이렇게 티를 팍팍 내며 걸었는데도 내게 먼저 말을 건 사람은 열 손가락 안에 꼽을 정도였다. 세상이 삭막해서라고? 나 또한 걸으며 그렇게 생각했다. 그런데, 반대로 내가 먼저 웃으며 말을 걸어보니? 아래는 내가 웃으며 먼저 인사했더니 일어난 에피소드이다.


논산에서 있었던 일이다. 정말 논과 산이 가득했던 논산인지라 그날은 한 끼도 먹지 못한 채 물집이 가득 잡힌 왼쪽 다리를 절뚝거리며 걷고 있었다.

오후 4시쯤, 경운기를 타고 어디론가 가고 계시던 한 할아버지를 봤다. 오랜만에 사람을 만나 너무 반가워 밝게 인사드렸다. 짧게 얘기를 나눴는데 할아버지는 근처에 식당이 없다며, 오늘 비가 많이 왔다며 내 걱정을 많이 해주셨다. 진심으로 걱정해주는 게 느껴졌다. 괜찮다는 얘기를 간단하게 전하고 인사드린 뒤, 가던 길을 갔다.

그리고 15분 후, 등 뒤에서 웬 할아버지가 오토바이를 타고 나타나셨다. 조금 전 그 할아버지였다. "나 누군지 기억하지?" "네⋯ 아까 저랑 얘기한 할아버지잖아요"


내가 한 끼도 못 먹고 다리를 절뚝인 채 가고 있어 걱정이 되어 왔다고 하셨다. 직접 만든 미숫가루로 채워진 2L 삼다수 페트병과 종이컵을 들고서는. 미숫가루를 받자마자 꿀꺽꿀꺽 마셨다. 안에 찹쌀과 또 무엇이 들어있었는데 딴 건 모르겠고 이제껏 먹은 미숫가루 중 가장 맛있었다! 너무 잘 마시고 "감사합니다"라고 말하려는 찰나, 만 원짜리 지폐를 내게 건네셨다. "빨리 도착해서 가게 보이면 이걸로 밥 사 먹어~". 거절은 했지만, 할아버지는 손을 거두시질 않으셨다. "감사합니다"를 일곱 번 정도 외친 후 가던 길을 갔다. 그 만 원은 지금도 내 지갑 안에 있다. 어떻게 써야 할지 모르겠기에.

천안에 위치한 한 핫도그 가게 사장님은 내게 핫도그와 음료수를 공짜로 주셨다.

풍산리에 사시는 아저씨들은 어죽과 맥주를 주셨고, 주유소 부부는 시원한 생수와 간식을 주셨으며, 전라북도 익산에 위치한 '강조네 회관' 음식점 사장님은 음식값을 받지 않고 막창 국밥을 내어주셨고, 한 모텔 사장님은 밥이랑 김치, 다른 모텔 사장님은 수박을 내어주셨다.

어디 마트 사장님은 아이스크림과 커피, 초콜릿을. 정안에 위치한 농협 직원분들은 박카스와 간식들을. 땅끝마을 도착하기 전날에는, 해남 부평마을에 사시는 한 할머니가 할머니 집에서 저녁 먹고 가라 하시며 잠도 재워주셨다.

처음으로 '꿈'이란 걸 가지다

서울역에서 출발하기 전엔 내가 이런 도움을 받을 것이라곤 상상도 못 했다. 이분들이 선행을 베푸신 데에는 분명 저마다 이유가 있었을 것이다. 안쓰럽거나 대견해서이든, 아들 혹은 손자 같아서이든, 아니면 도와주고 싶어서이든. 이유는 다르겠지만, 이런 선행을 받을 수 있었던 것에는 하나의 뿌리가 있다. 내가 먼저 웃으며 인사했기에. 용기 내어 먼저 다가갔기에.

만약 먼저 다가가지 않았더라면? 그냥 쌩하고 지나쳤을 수도. 그랬으면 참 씁쓸할 뻔했다. 앞으로는 먼저 따뜻하게 다가가야지. 미소짓고 인사해야지. 그럼 적어도 주변만큼은 정이 넘치겠지.

&lt;'핫도그 가게' 사장님과&gt;　　　&lt;수박을 내어주신 모텔 사장님과&gt;

<'미숫가루' 할아버지와>    <'강조네 회관' 사장님과>

## 고생 끝의 깨달음

　폭우, 폭염, 물집, 피부염, 땀띠. 이것들을 이겨내며 무거운 몸을 축축 늘어뜨린 채 걸어댔다. 결국, 15박 16일에 걸쳐 그토록 바랐던 해남 땅끝마을에 도착했다. 총 걸은 거리는 약 515킬로미터. 이 길의 끝에는 엄청난 뭔가가 기다리고 있을 줄 알았는데… 달랑 비석과 전망대만이 나를 기다리고 있었다. 놀러 나온 가족들 곁에 다가가 무슨 일이라도 있었냐는 듯 가만히 서 있는, 16일간 함께한 방패를 내려놓고 빈 몸으로 바다의 끝을 바라보는 나. 기분이 어땠냐고? '이야, 진짜 사서 고생하긴 했네'라는 생각과 아무쪼록 시원섭섭한 느낌. 그동안 너무나 지쳤던 적이 많았기에 두 번은 못 할 것 같다는 기분이 들었다. 하지만 이렇게 힘든 걸 내가 해내고야 말았다!

처음으로 '꿈'이란 걸 가지다

그동안 나를 앞지르는 자전거, 자동차를 수없이 봤고 빨리 지나가는 기차와도 한 방향으로 걸어봤다. 누구나 이런 경험을 아무렇지 않게 해봤을 것이다. 나 또한 처음엔 아무렇지도 않게 느껴진 것들이었지만, 어깨를 떨어뜨린 채 걷는 내내 이것들을 봐서 그럴까? 한 깨달음이 뇌리를 뚫고 지나갔다.

누군가는 서울역에서 해남까지 기차를 타고! 누군가는 자동차, 자전거를 타고! 또 다른 누군가는 두 발로 걸어서 도착한다.

누가 제일 잘 갔을까? 기차를 타고 간 사람.

·
·

누가 제일 열심히 갔을까? 두 발로 걸어간 사람.

·
·

누가 제일 깨닫는 게 많을까?

잘하는 것이 제일 중요하겠지만, 단순히 열심히 해내는 것도 중요한 듯하다. 깨닫는 게 있으니. 하면서 배우는 것이 있으니. 서툴지는 몰라도 어쩌면 새로운 기회를 잡고 예상치 못한 누군가를 만날 수도 있으니 말이다.

그럼 이렇게만 해보는 것도 괜찮지 않을까? 얻는 것은 분명 있을 거라 믿는다. 그래서 난 앞으로 열심히, 더 열심히 해보려 한다. 내일 아침 눈뜰 때, 전보다 설렘이 가득하리라!

'인생, 오히려 쉽고 재밌을 수도. 그러니 한번 가보자고~.
화이팅!'

# CHAPTER 5

후배에게
해주고 싶은 말

☀

## 불행인가? 축복인가?

난 내 환경이 불행하다고 믿었다. 그놈의 게임 때문에 10년 넘게 살벌하게 싸우고 있는 동생과 엄마. 서먹서먹한 가족 관계. 적성과는 전혀 맞지 않은 대학 전공과 수업. 거기다 불안에 가득 찬 진로까지. 행복과는 거리가 먼 사람이 바로 나라고 생각했다. 그렇게 그냥저냥 살고 있었다. 이런 내게 변화가 생긴다.

　우선, 독서. 책 쓰기를 위해 이번 연도에 스무 권이 넘는 책을 읽는 중인데, 독서 하며 다양한 사람들의 세상 사는 이야기를 들을 수 있었다.

　가난한 농부의 아들로 태어나 대학도 안 가려 했던 『네 인생 우습지 않다』의 저자, 전한길 선생님. 23년째 파킨슨병과 투쟁 중이신 『만일 내가 인생을 다시 산다면』의 저자, 김혜남 작가님. 밤 11시에 침대에 눕지만, 온갖 망상과 불안으로 아침 9시에나 겨우 눈을 붙이는 『악인론』의 저자, 손수현 작가님 등등. '얼마나 힘들었을까?' 이들 앞에서는 고개가 숙연해진다. 꿀 먹은 벙어리가 된다.

　다음은 국토대장정. 앞서 얘기했다. 한여름에 땡볕을 고스란히 받으며 하루에 평균 33km씩을 걸어댔다. 머리에 털이 나고 처음으로 손빨래를 해보고, 끼니는 대부분 편의점에서 해결하고 그랬는데, 하면서 묵직한 사실 하나를 깨닫는다.

　'아, 이때까지 나 완전 축복받은 환경에서 살고 있었구나'. 안 그래도 책 읽으며 숙연한 마음이 있었는데, 대장정 하며 정신적으로 육체적으로 힘드니 책에서 읽은 것들이 뼛속 깊숙이 느껴지는 것이다. 실감하게 된다. 이래서 어른들이 "책 읽어라" 하고 "젊을 땐 사서 고생하라"고 하나 싶었다.


　집에 돌아와 읽었던 책들을 다시 한번 펼친다. 읽고는 국토대장정을 하는 모습을 회상하기 시작한다.

　머릿속에 그리는 동안 난 몸 건강하고, 부모님이 주시는 용돈 따박따박 받고, 차려주는 밥 먹고, 읽고 싶은 책이 있으면 아버지 복지 포인트로 돈 한 푼 내지 않고 마구마구 사들이고, 지금 시원한 에어컨 밑에서 책 읽고 있다는 걸 깨닫는다. 만약 집에 빨간 딱지라도 하나 붙여져 있다면 지금 알바나 막노동하며 시간 보내기 바빴을 텐데.

　난 참 행복하고 그와 동시에 축복받은 사람이었구나. 이것이 객관적인 현주소였다. 앞으로 살면서 나만 불행하다, 나만 힘들어 죽겠다 하는 순간이 오면 갈대처럼 흔들거릴지라도 이 생각만큼은 굳건하게 지킬 것이다.

내 뒤엔 달이 떠 있는데
혹시 앞의 어둠만 보려 했던 건 아닌지

후배에게 해주고 싶은 말

☀

## 반오십이 된다는 건

내 나이 지금 스물다섯 살. 남들 흔히 말하는 반오십이 된다. 대학생 새내기였던 스무 살 때, 당시 친구들이 다섯 살 많은 학생회장 형을 그렇게 놀려댔는데.

"아 맞다. 형, 반오십이죠?" 그 말을 듣고는 나도 재밌어서 한마디 거들었는데. 그랬던 내가 반오십이 된다. 나이 먹은 내 기분, 어땠는지 아나? 진짜 뭐 같았다. 젊음이 떠나갔다는 생각에. 현실을 받아들이기 싫어 반오십이 된 친구들을 장난 반, 진심 반으로 '형'이라고 초반에 불러댔다. 하지만 장난 속에는 속마음이 있는 법. 막 스물다섯 살이 된 내가 부릴 수 있는 마지막 저항이었던 것 같다.


반오십이 된 모습은 상상했던 것과는 사뭇 달랐다. 뭐든지 할 수 있을 것만 같은 어른일 줄 알았는데. 모아놓은 돈이 많았을 줄 알았는데. 아니었다. 그냥 살아온 나날의 연장선에 올라섰을 따름이었다.

다만, 이제 대학교에선 젊은 나이가 아니라는 것? 고령자급의 상위계급이랄까. 동아리든, 어디 프로그램이든 고학번이라는 이유로 제한이 있는 경우도 허다했다. '역시 반오십은 슬픈 거야. 아재(아저씨의 줄임말)가 되었어'라고 속으로 속삭였다.

　그렇게 줄곧 생각했건만, 어느 날, '크로스핏' 체육관을 다녔을 때 일이다. 이게 웬걸? 같은 시간대에 운동하는 사람 중 내가 나이가 제일 적은 것이다(가격대가 있는 운동이라 직장인이 많았던 것 같다). 사람들과 친해져 끝나고 함께 집으로 걸어갔는데 그때 들려오는 30대 인생 선배들의 대화.
　"와, 스물다섯 살 대박 부럽다", "스물다섯으로 돌아간다면 뭐라도 도전한다. 진짜"
　'엥, 부럽다고? 난 우울한데?' 하지만 그들의 말에 담긴 진심이 내게 고스란히 전해졌다. 크로스핏 일화뿐만이 아니다. 학교 밖 교외 프로그램을 신청해서 들었을 때, 춘해보건대학에 가서 60대 어르신들과 함께 교육을 받았을 때도 마찬가지였다. 모두가 나를 부러워하는 것이 아닌가. 내가 진짜 젊은 건가.

　그동안 나는 하나를 알고 둘은 몰랐다. 그런데 조금 익숙해지니 이젠 셋을 알 것 같다. 지금이 파란만장한 나이라는 걸. 무엇을 해도 될 나이라는 걸. 그리고 실패해도 될 나이라는 걸 말이다. 대신, 스스로 결정짓고 책임져야 한다는 약속은 해야 한다. 가만 보자. 그러려면 꿈과 현실의 균형을 잘 맞춰야 하나? 아직은 모르겠다. 그래도 확실한 건 지금 이 파란만장한 나이에 감사하다. 이제 반오십이라는 사실에 너무나 감사하다. 당신에게 여기서 묻겠다. 후배들아, 나이로만 따진다면 나보다 너희가 더 감사해야 하지 않을까?

## 친구이자 멘토

살다 보면 주위에 자신만의 '멘토'가 없기보다는 있는 것이 좋다. 내게도 한 명의 멘토가 있는데, '그'에 대한 이야기를 해줄까 한다. 책 제목이 『인생을 포기하지 않는 울산대 학생』이지만 내 인생에서 가장 큰 영향을 주고 있는 인물이기에 이 책에, 그것도 후반부에 실어보았다. 그러니 모르는 제3자의 이야기라고 흘려듣지 않아 줬으면 하는 바람이다. 당신은 수능, '수학 귀신' 때 잠깐 나왔던 '박사'를 혹시 기억하는가?(P24 참고) 그때 나온 박사에 관한 이야기다.

그전까지는 인사만 하던 사이였지만, 수능 100일 전에 박사와 친해졌다. 그는 나와 다른 듯했다. 우선, 똑똑한 녀석이었다! 비슷한 실력과 공부 시간을 가지고 함께 한 수험 생활이었지만, 그의 모의고사 점수는 나와 달리 빠르게 치솟기 시작했다. 특히, 수학 성적이 늘 잘 나와서 수학적 사고와 감각이 뛰어나다고 느껴졌다.
뒤이어 수능이 끝나고도 우린 늘 붙어 다녔는데, 그는 내게 틈만 나면 사업하고 싶다고 주절주절해댔다. 물론 그땐, 한 귀로 듣고 한 귀로 흘렸지만.

**열아홉 살의 박사는 일단 똑똑했으며 남달리 '사업'을 열망했다.**


20대에 접어들고 대학생이 되었을 때, 박사는 나처럼 수험기간의 탄력을 받아 열심히 공부할 줄 알았지만, 아니었다. 전공과 관련된 직업(간호사)을 갖기 싫어했고 자연스레 전공 공부에 흥미를 잃어했다. 기숙사 친구들과 게임을 해대며 시간 보내는 경우가 허다했을 뿐이었다. 결국, 학업을 반 포기한 결과로 그의 1학년 학점은 유급을 당할 만큼 간당간당해졌다.

한번은 영화관에 같이 간 적 있는데, 영화 광고가 나오는 와중에 핸드폰을 만지작대며 유급당하면 안 된다며 재시험을 보겠다고 교수님께 메일까지 보내던 모습이 아직도 선명하다.

그런데 박사는 특이한 놈이었다. 영화가 끝이 나고 자리에 일어설 때는 언제 그랬냐는 듯 이번엔 핸드폰으로 주식을 하염없이 보기 시작했다. 언뜻 좀 많이 집착하는 듯 보였다. 그런 모습이 다른 친구들과는 낯설게만 느껴졌다.

또한, 열아홉에 시작된 박사의 '사업' 사랑은 변함없었다. 하루는 "동훈, 사업 아이템으로 물 패딩(여름에 입는 시원한 물로 된 패딩) 어떰?"이라고 물으며 그림을 그려 밤에 카톡으로 띡 보내주었다. 아이템은 둘째치고 제품 설명도 그렇고 전체적으로 고민한 흔적이 엿보였다.

**스무 살의 박사는 전공 따라 갖게 될 직업을 싫어했으며 주식에 집착했고 계속해서 '사업'을 열망했다.**


그 후, 우리는 똑같은 날짜에 다른 군부대로 입대하게 된다. 군에서 나는 여러 자격증을 따며 자기 계발에 올인함과 동시에 박사

후배에게 해주고 싶은 말

는 책을 잔뜩 읽어 나가기 시작했다. 거진 매일 독서를 했다 그랬다. 책 읽으니 성공한 사람들의 공통점이 보였단다. 그래서 그랬을까? 이때부터 주식공부를 본격적으로 시작하는 듯 보였다.

한번은 내 전 재산, 300만 원을 자신에게 투자하라 했으며 믿고 투자했더니 소량의 퍼센트를 플러스해서 되돌려주기도 하였다.

**군인이었던 박사는 매일같이 독서를 하였으며 본격적으로 주식 공부하며 큰돈을 만지고 싶어 했다.**

전역한 뒤 그의 모습은 어땠을까? 이런, 한 6개월간 '롤'이라는 게임에 푹 빠져 빈둥거리는 시기를 보냈다. 뭐, 여기까지 박사 얘기를 들어보았을 때, 조금은 특이한 놈이구나 싶을 거다.

그러다 그의 인생이 크게 요동치는 순간이 온다. 군 복학한 뒤 내가 중도휴학 했을 때, 비슷한 시기에 그도 대전에서 다니던 학교를 중도휴학 했다. 앱을 개발하고 싶은데 학교 공부와 병행하기엔 답 없다고 판단 내린 것이었다. 어머니는 "계속 학교 다녀"라고 다그치셨지만, 그는 의지를 꺾지 않았다.

몇 달 만에 한 독서실에서 만난 그는 앱 개발 중이었으며 표정에는 고 3, 그때의 진지함이 잔뜩 묻어져 있었다. 나도 합류해 그렇게 독서실 생활을 함께하기 시작했다. 나는 인강 들으며 토익 공부, 그는 인강 들으며 앱 개발하며 보내고 있던 어느 하루! 박사가 말했다.

"나 ADHD인 것 같아. 집중력이 너무 좋지가 않다" 이 말을 전하고서 그는 바로 정신과에 찾아갔다. 병원에서 ADHD약('콘서타')을 처방받은 박사는 그날부로 이전과 다른 사람이 되었다.

미친 사람처럼 앱 개발에 몰두하기 시작한 것이다. 눈의 힘줄이

터지는 순간이 있었을 정도! 그는 밥 먹는 도중에도 만들려는 앱에 갑자기 문제가 생겼다며 곧장 독서실로 뛰쳐 들어가는 모습도 보이곤 했다.

이후, 박사는 집에 처박혀 앱 개발을 한답시고 한동안 볼 수가 없었다.


홀로 앱 개발 시작한 지 1년 반쯤 지났을까? 미친 박사가 만든 앱은 포보스 코리아 '2022 한국인이 사랑한 모바일 앱 커뮤니케이션 부문' 13위를 기록한다. 그것도 홍보 한번 없이 입소문으로만. 웬만한 직장인 수준의 월급이 자동 수익 구조로 그의 통장에 매달 따박따박 입금되고 있다. 아무것도 안 해도, 그리고 자는 동안에도 돈이 들어오고 있는 박사의 통장이다. 또한, 그 돈들은 주식으로 불려지는 중이다.


앱 개발에 성공한 뒤, 박사는 휴학했던 대학교를 자퇴했다. 지금은 게임 개발을 하고 있다. 그의 엄마는 "학교 다녀"라는 말을 더 이상 하지 않는다. 박사는 마음 평온한 채 잘살고 있다. 그는 내게 말한다.

군대에서 책 많이 읽은 게 주요했고 ADHD약이 그때 생활(앱 개발 기간)을 빨리 마감하는 데 큰 도움을 준 탈출구였다고. 덕분에 주어진 휴학 기간에 혼을 갈아 넣을 수 있었다고.

떡잎부터 조금 특이했던 박사가 남다른 방식으로 삶을 살아온 과정을 이번 장에서 소개했다. 사회적 지능, 통찰력, 자기 객관화가 탑클래스까지는 아니더라도 아직 박사만 한 거인을 본 적이 거의 없다.

후배에게 해주고 싶은 말

이번 '박사' 이야기를 통해 시사하는 바는 분명하다. 자기 상황 탓하며 그러려니, 핑계 탓하며 그러려니 하는 게 아니라, 본인이 가고자 한 길을 과감하게 걸어가 뚝심 있게 밀어붙인 것.

박사 성향과 비슷한 후배들이 혹시 이 글을 읽고 있다면, '이런 식으로 자기 길을 바꾼 사례도 있구나' 하며 참고해 보면 어떨까? 자신은 그런 성향이 아니라고? 그게 아니라면 배울 점이 많은 멘토를 곁에 두어서 벤치마킹 해보는 건 어떨까? 곁에 누구를 두는지에 따라 삶의 방향은 바뀐다.

※ 지금 그는 이 글을 읽으며 '뭘 이렇게까지 거창하게 써놨어?'라며 민망한 웃음을 짓겠지만 당신은 굉장히 잘 살았기에 그럴 웃음을 지을 자격이 된다. 이 자리를 빌려 전하고 싶다.
"진심으로 고마워. 선뜻 밥값도 내주고, 이것저것 알려주고…. 나만 뭔가 받기만 하고 준 것도 없어 괴로운 마음도 드네. 내가 꼭 보답할게. 잊지 않을게. 다시 한번 고마워!"

## 전공 뒤에 숨은 직업

남들 다 간다는 레스토랑에 한번 가본다. 안에 들어가니 메뉴판이 있고 그중에 무슨 음식을 시켜야 할지 고민된다. 세상에는 맛있는 음식이 너무나 많은데 지금은 메뉴판에 있는 음식만 생각날 뿐이다.

갑자기 웬 뚱딴지같은 소리를 할까. 미안하다. 조금 더 와닿게 다시 말해보겠다.

남들 다 간다는 대학교에 한번 가본다. 대학에 가니 전공이 있고 그중에 무슨 직업을 선택해야 할지 고민된다. 세상에는 다양한 직업이 너무나 많은데 지금은 전공에 관련된 직업만 생각날 뿐이다.

후배에게 해주고 싶은 말

지금 우리는 누워도 전공 관련 직업이 생각날 거고 눈을 감아도 그 직업만 떠오를 것이다. 당연한 현실이다. 레스토랑 안에서 어떻게 메뉴판에 없는 음식이 떠오르겠는가.

레스토랑 상황을 가정한 저 문단을 곱씹어보면 전공 뒤에, 대학 뒤에 숨은 직업들이 존재할 것 같다. 뭔가 구름처럼 가득할 것 같다.

자신과 맞는 직업. 조금이라도 더 맞는 직업. '어디에 숨어있을까? 한번 찾아봐야겠어'라고 결심한다면 마침내 당신은 찾을 것이다. 숨은 직업이 하나가 아닌 여러 개니까. 그러니 결국엔 찾을 수밖에 없다. 여기서 끝이 아니다. 굳게 마음먹고 준비한다면, 새로 찾아낸 그 직업에 다가갈 수도 있다고 믿는다. 세상이 무너지지 않는 이상, 길은 언제나 열리는 법이니까.


'내가 가장 하고 싶은 일은 뭘까?' 지금, 이 시점. 잠깐 시간 내어 자신의 삶을 돌아봤으면 좋겠다. 언제까지 계속 도망칠 수는 없다. 인생에서 단 한 번은 스스로가 진정 무엇을 원하는지 고민해야 한다. 여기서 전과 다른 시야가 생긴다. 다른 시야를 가지고 남은 인생을 살아갈 수도 있다. 이 말이 무슨 말인지도 알겠는데도 단지 귀찮다고, 피곤하게 살기 싫다고 회피할 것인가. 어쩌면 3년 후, 오늘 진지하게 생각해 볼 걸… 하고 바랄지도 모른다.

## 다채로운 삶을
## 언박싱할 후배들

안 될 것 같다는 생각. 이 생각이 반복되면 부정적으로 시선이 모이고 정말 무얼 해도 안 될 것만 같다. 자존감이 뚝 떨어진다. 애쓰기도 싫어진다. 안 될 것 같으니까. 나 또한 이랬던 적이 있었다. 이 책의 마지막을 전하기 전, 고백할 비하인드 스토리가 있다.

전과한 뒤 휴학했을 때, 전기과에서 살아남기 위해 책에 적힌 공식이나 내용을 미리 공부했었다. 휴학 기간에 말이다. 복학하고 나서는 어느 정도 열심히 시험공부 했다. '암기충'답게 이번에도 책의 문제와 풀이만 달달 외웠다.

그러던 중간고사 날, 허탈함이 찾아왔다. 양면 빽빽한 시험지에 내가 적을 수 있는 답은 기껏해야 한두 문제. 문제가 거진 다 변형되어 나온 것이었다. 속수무책으로 무너졌다. 노력 대비 허탈한 성과를 얻었다.

194

전기과가 적성에 맞지 않아 중도에 휴학했었지. 휴학하며 미리 공부했었지. 복학하고는 나름대로 열심히 했는데 이 모양이 꼴이라니. 중간고사 치고 다짐했다. 안되는 건 빨리 접자….

여기서 살아남으려면 풀이만 외워서 될 게 아니라 뼈를 깎는 노력을 해서 기초부터 다져야 하는데 그러진 말자고. 하기 싫은 거 억지로 하는 건 그렇게 크게 의미 없으니 다른 길 찾아보자고.

그런데 이때부터 인생이 흔들리기 시작했다. 그전까진 목표했던 바를 다 이뤄 스스로 잘 믿었는데 딱 하나 막히니 그때부터 '해도 안 될 거야'라는 마음의 흔적이 새겨졌다. 최선을 다하지 않고 회피했기에 생긴 흔적이었던 것 같다. 당장이라도 하늘을 향해 비장하게 점프하고 싶은데 투명한 유리병 안에 갇혀 수없이 꼬꾸라지길 반복했다. 애써 결심해도 또 유리천장에 부딪힐 뿐. 점점 의욕이 사라졌다.

'이거라도 해볼까?' 고민되면 어느새 툭 튀어나오는 '이번에도 안 될 거야'라는 속삭임. 문제는 이 악인의 속삭임이 뭐만 하려 하면 튀어나온다는 것이다. 그놈의 흔적 진짜. 뭐 어떻게 해야 떼어낼 수가 있는 건데? 주눅 든 내 모습에 금세 우울해졌다. 의욕도 잃었다. 그래도 인생 포기할 수는 없지 않은가.

마냥, 아무것도 안 할 순 없었다. 다시 열심히 살아보기 위해서, 지푸라기라도 잡기 위해 뭐가 됐든 해볼 수 있는 건 어찌어찌 해봤다. 당장 돈이 되는 것들, 뭐 취업에 직접적으로 관련 없는 도전들일지라도 내 상황에서 할 만한 것들을 일단 해보았다. 시간이 지난 지금, 그때 한 것들을 책으로 써 내려가고 있고, 당신을 만나고 있는 것 같다.


예전과 다른 점이 느껴진다. '이거 해볼까?' 고민되면 이제는 툭 튀어나오는 '될 것 같은데?'라는 마법의 속삭임.

안 된다는 마음가짐도 일단 할 수 있는 걸 해보니, 그리고 또 또 해보니 점차 의욕적으로 되는 게 아닌가. 이 단계를 거치면서.

**해도 안 되겠지 ⇨ 안 되겠지? ⇨ 어? 잠시만 ⇨ 될 것 같은데? ⇨ 되겠다 ⇨ 된다! 이건!**


'난 안 되겠지'. 이 생각? 이 흔적? 지금 할 수 있는 걸 용기 내서 해보니, 더욱이 물고 늘어지니 점점 사이클대로 바뀌더라. 이런 경험이 점차 쌓이니 신기하게도 삶에 대한 태도도 똑같이 의욕적으로 바뀌더라. '난 안돼'라고 허우적대던 사람이 지금은 '될 것 같은데'라고 말하고 있다니까?


앞으로 우리에게는 기쁨의 댄스를 추는 순간, 세상을 다 얻은 것 같은 순간, 사랑하는 이를 만나 온 세상이 벚꽃으로 물드는 순간이 올 것이다. 좋은 일이 펼쳐질 때는 좋은 거니 그 순간을 즐기면 된다.

반면에, 사회초년생으로서 살다 보면, 살아가다 보면 무거운 짐을 짊어져야 할 순간도, 때론 털썩 주저앉고 싶을 순간도 맞이할지 모르겠다. 지금부터는 이 경우에 대해 말하고자 한다. 힘에 부쳐 '포기'라는 단어가 생각나고 삶이 막막하게만 느껴질 그때!

삶에 의욕 없었던 내가 핏줄 세워 당신께 말하고 싶다. 그럼에도 지금 할 수 있는 일이 있다면, 할까 말까 고민되는 일이 있다면! 깊게 생각하기보단 우선, 시도해 보면 좋겠다. 한 걸음 앞으로 발을 뗄 용기를 내보자. 인생? 아니, 20대조차도 정말 많이 남아있다. 이제 시작이다. 당신의 무한한 잠재력을 믿고 출발선에 딱 서서 눈 질끈 감고 한 발 뻗어보길. 조금씩 한 발 한 발 꼭 뻗어보기를. 그럼 분명히 저 너머에, 인생의 주인공은 당신이 되는 날이 올 것이라 믿는다. 반드시 그럴 것이다.


　여기까지가 이 책의 끝이었지만, 잠시만. 책을 덮는다고 과연 모두가 변화를 갈망할까? 대부분이 망설일지 모른다. 사실, 난 망설였다. 겁나서. 두려워서. 꼬꾸라질까 봐. 그래도 책을 덮는 지금은 이렇게 생각한다.

　해보고 성공하면 완전 '땡큐'이고 실패하면 사회초년생으로서 그것 또한 낭만이라고 말이다. 이때 쌓은 낭만은 훗날 반드시 쓰일 날이 올 터이다. 이 얘기까지 꼭 말해주고 싶었다. 그러니 시도를 두려워하지 않았으면 좋겠다. 막상 하면 정말 별거 아니거든. 알겠지? 다채로운 삶을 언박싱할 후배들아, 그리고 과거의 나야.

# 감사의 글

## TO 유빈 쌤에게

저는 기억합니다. 낮은 수학 등급을 받았던 저이지만, 생기부에 적어주신 선생님의 정성스러운 칭찬을. 야자 시간, 복도에서 공부하고 있었을 때, 제 수능 달력에 편지를 써주시는 선생님의 모습을. 다른 반 학생이었던 저를 아들처럼 아껴주신 선생님의 온기를. 수능이 끝난 겨울, 아들들 간의 자리를 만들어야겠다며 선생님 아들, 현욱이를 학교에 데리고 와서 저와 현욱이가 신나게 뛰어다니며 논 순간을. 제 인생이 바뀌었다면, 그 시작은 선생님이 만들어 주신 겁니다. 고맙습니다. 이 책이 출간된다면, 그때 선생님과 맥주 한잔하고 싶습니다. 연락드리겠습니다. 다시 한번 고맙습니다.

## TO 태윤이에게

참 특이한 후배입니다. 4살 차이 나는 제게 밥 한 끼를 대접하고 싶다고 했습니다. 밥 사주겠다는 후배는 처음이었습니다. 크리스마스, 새해, 학교 개강 날, 시험 기간 등 늘 먼저 연락을 해줍니다. 해준 게 없는 저에게 말이지요. 한 번은 태윤이와 카페에서 여러 이야기를 한 적이 있습니다. 얘기를 나누다 보니 태윤이는 삶에 대한 깊이가 차원이 다른 동생이었습니다. 더욱이, 제 주변 사람 중 가장 지식이 많은 듯했습니다. 겸손까지 했습니다. 그런 멋진 태윤이는 꼭 로스쿨에 합격할 겁니다. 꿈을 이뤄 행복해하는 태윤이의 모습이 제 머릿속에 선명히 그려집니다. 제가 응원해요.

## TO 유진이에게

2023년 1학기, 울산대 독서 모임 '북클럽'에서 유진이를 처음 봤습니다. 깜짝 놀랐습니다. 입학한 지 얼마 안 된 새내기가 홀로 독서 모임에 온 것에. 시간이 흐르고 또 놀랐습니다. 너무나 예의 바른 모습과 항상 약속 시간보다 일찍 도착해 준비하는 모습에. 저를 여러 번 놀라게 했던 유진이가 지금은 제37대 스페인·중남미학과 부회장을 준비하고 있습니다. 유진이의 대학 생활은 지금부터 시작입니다. 정말로 응원합니다. 저와 인연을 맺어주셔서 고맙습니다.

## TO 준석이에게

일주일 전에 학교 교정을 함께 걸으며 준석이 고민을 들을 수 있었죠. 준석이의 고민, 사실 저도 했었답니다. 작년에요. 그 고민을 제가 스무 살에 했더라면 인생이 참 많이 바뀌었을 것 같은데…. 이상하게도 부럽네요. 해주고 싶은 말이 잔뜩 있었지만, 차마 제가 그런 큰 그릇이 아니라서, 이 책에 등장하는 '박사'에게 준석이를 소개해 줬었죠. 도움이 됐었나 모르겠네요. 이 책을 빌려 조심스럽지만, 그때 그 질문에 대해 답할까 합니다. 하고자 하는데 확신까진 안 서는 그거, 전 맞다고 생각합니다. 준석이라면.

## TO 영현이에게

저는 영현이가 신기합니다. 매년 11월 11일에 빼빼로 과자에 편지를 적어 반 친구들에게 나눠주는 반장이라서, 고1 때부터 목표로 하는 대학교가 확실한 동생이라서, 나중엔 EBS 강사가 되고 싶고 교재 집필 관련 일도 하고 싶다는 꿈이 가득한 고등학생이라서. 서울교대. 영현이 아니면 누가 합격합니까? 제 바람이 있다면, 지금처럼만 앞으로 살아줬으면 합니다. 더 열심히도 덜 열심히도 말고, 딱 지금처럼! 학교에서 자주 웃으며! 늘 그렇듯 주변에 긍정 기운을 나눠주며! 시험 기간임에도 추천사를 며칠간 고민하며 써주셔서 고맙습니다. 잊지 않겠습니다.

## TO 재표에게

모교에서 강연을 끝마친 후 한 통의 연락이 왔습니다. 재표였습니다. 강연 잘 들었고 감사하다는 연락이었죠. 그 연락을 시작으로 지금 저희가 형 동생 관계로 지내고 있네요. 이번엔 제가 감사합니다. 귀한 인연으로 다가와 주셔서. 고등학생인데도 밴드부 활동, 창업 아이디어 동아리 등 다양한 활동을 해오고 있군요. 학창 시절의 제 모습과는 대조적이네요. 대학생이 되면 얼마나 이쁜 날개를 달까요? 대학생, 재표의 모습이 궁금합니다. 너무 기대됩니다. 꽃길을 걸을 재표를 제가 응원해요.
수능 보느라 고생하셨습니다. 이제, 하고 싶은 거 다 하세요! 무엇이든.